Classici dell'Arte

81.

L'opera completa di
Cimabue
e il momento figurativo pregiottesco

L'opera completa di

Cimabue

e il momento figurativo pregiottesco

Presentazione, apparati critici e filologici di
ENIO SINDONA

Rizzoli Editore • Milano

Mito e antimito:
da Cimabue a Giotto

È appena nel nostro secolo che Cimabue e la sua opera hanno potuto assumere, nel tessuto della pittura italiana medievale, una fisionomia autentica. Prima era il mito; il mito che fece appieno del grande artista il maestro di Giotto e l'affossatore della 'maniera greca', il capostipite della pittura italiana e l'autore di una serie innumerevole di opere, non sue. A cospetto, come per reazione, l'antimito che con incredulo scetticismo giudicò tutto l'edificio cimabuesco qualcosa di vago e di inafferrabile, costruito artificiosamente quasi a voler tessere una favolosa e romantica vita di artista.

Il mito ha origini lontane, già nel Ghiberti ma con più accurata e sottile elaborazione nel Vasari; l'antimito assume immagine nel Settecento, a opera di storici italiani, ma soprattutto tra la fine del secolo scorso e gli inizi del nostro a opera di studiosi inglesi e tedeschi.

Poi sopraggiunse la verifica, e anche se il segno impresso da un'immagine deformata non venne del tutto cancellato, si sostituì l'equilibrio critico; ed era quanto occorreva per spegnere la tesi di quanti fraintesero, sminuendola, la reale personalità di questo pittore, certo sconcertante e imprevedibile sotto molti aspetti, ma altresì per correggere la rotta di chi, sulla scia del Vasari, si è scatenato per farne una specie di padre della patria pittura italiana. Poteva così assumere finalmente i contorni precisi di una personalità artistica chiaramente configurabile, l'autore degli affreschi di Assisi, della *Maestà* di Santa Trinita e dei *Crocifissi* di Arezzo e di Santa Croce.

Sono queste, infatti, le opere cardine – estratte ormai definitivamente da un catalogo che da secoli viene redatto, esteso e ritoccato, spesso con la più stupefacente disinvoltura –, intorno alle quali si dichiara con inconfondibile linguaggio Cenni di Pepo detto Cimabue.

Giorgio Vasari non rese invero un gran servigio all'artista tessendone le lodi per avere questi superato e quasi eclissato la "goffa maniera greca", cioè la maniera bizantina; perché lo storico incorse così nell'errore di sottovalutare – sia pure con abilissima impostazione discorsiva degna del più smaliziato metodo giornalistico contemporaneo – quello ch'è forse l'aspetto più colto dell'artista, e per lui il più incatenante, cioè la componente bizantina, a quel tempo rinnovantesi con la rinascita protopaleologa. E non contribuì, nel contempo, a chiarire le origini dell'arte di Giotto assegnando a costui come maestro e ispiratore primariamente Cimabue; perché in tal guisa il Vasari dette per acquisito un rapporto che, se pure vi fu, non comportò verosimilmente tra i due influenza di rilievo. Ma tutto questo si spiega: nel compilare l'albero genealogico del ceppo artistico toscano, al Vasari premeva molto di assegnare al giovane Giotto "che aperse la porta della verità", un padre esclusivamente fiorentino e "prima cagione della rinnovazione dell'arte". Ora, se nell'affermare ciò, il biografo mostra tra l'altro di volere rendere giusto merito a una verità lapalissiana, la grandezza di Giotto, ciò non può giustificare egualmente, pur con la forza e il potere di suggestione di quel dato autentico e immenso, non soltanto il suo disdegno antibizantino, ma anche e soprattutto il silenzio sotto il quale egli passa altri basilari aspetti della cultura artistica del Duecento; proprio come se oltre a Cimabue e ai nebulosi maestri greci, tutto il resto fosse muto. Questa particolare angolazione della tesi vasariana dev'essere sottolineata, perché essa ha influito e ha continuato a influire fino ai nostri giorni in maniera niente affatto secondaria, rendendosi responsabile, tra l'altro, di una imperfetta e incompleta visione del momento figurativo pregiottesco.

Pure se introdusse, da quel grande artista che era, stilemi nuovi, spiccando per un linguaggio robusto e veemente che spesso assume toni polemici e di civile impegno, Cimabue, nonostante ciò, rimane dunque artista essenzialmente bizantino. Nella sua pittura non c'è vera rottura, ma persiste una sostanziale continuità; c'è in essa mutazione e non poca, è vero; ma è quanto si avverte anche, in maggiore o minor misura, in altri artisti a lui contemporanei; e perciò non è in Cimabue o in lui soltanto che sopraggiunge la "prima cagione del rinnovamento". "Nelle opere certe" osserva il Toesca, "l'arte di Cimabue modifica, dando qualche nuovo valore al rilievo mediante il disegno, ma non altera lo stile bizantino, intieramente posseduto; ne ricrea la grandezza e l'astrazione religiosa, addolcendole senza diminuirle".

Ancor giovane, nel Battistero di Firenze, tramite i maestri greci che giungono soprattutto da Venezia, Cimabue conosce l'aulica raffinatezza dell'arte bizantina, qui come a Venezia emendata già da diversificazioni più o meno incisive suggerite da elementi occidentali. In quel cantiere – esso sì che fu davvero principio di rinnovamento dell'arte a Firenze – dove anche s'intesseva l'opera di pittori locali, primo fra tutti, come pare ormai certo, di Coppo di Marcovaldo, "minor pittore toscano", Cimabue riceve impulso per la formulazione di un linguaggio più diversificato e stimolante, e ciò magari in concomitanza a una plausibile esperienza pisana, o con artisti operosi a Pisa, dove era allora fiorentissimo il neoellenismo bizantino. Gli inserti musivi che nella decorazione del bel San Giovanni vengono riferiti a Cimabue, trovano proprio in questo aggancio con il neoellenismo la più esaustiva spiegazione del loro carattere eterogeneo rispetto al resto della decorazione. Se poi a queste prime esperienze aggiungiamo l'incontro con l'arte classica avvenuto successivamente a Roma, quando il pittore era sui trent'anni, e inoltre la conoscenza, soprattutto ad Anagni e a Grottaferrata, nel neoellenismo provinciale, altro aspetto dell'arte bizantina e fondamentale punto di riferimento per chiarire le origini del lessico espressionistico cimabuesco, possiamo formarci un quadro sufficientemente completo dei principali aspetti che concorsero a segnare in maniera decisiva la personalità del maestro fiorentino.

È perciò alla grandiosa arte bizantina che Cimabue resta sempre legato, anche quando inclina a compattezze romaniche o a eleganze gotiche, o alla modellazione classica. Bizantine restano le sue Madonne, bizantini restano i suoi Cristi morti e gli schemi compositivi delle sue scene; ed è sempre nel momento in cui lo schema bizantino, sia pure quello

più aggiornato del neoellenismo, gli ispira la trama inventiva, che, allora e solo allora, Cimabue attinge vette ineccepibili sul piano formale.

Altra cosa sono i suoi inserti – che tali rimangono – venati di cupezza, tinti di malessere o traboccanti protesta, ovvero quelli perfettissimi assorbiti da classiche levigatezze. Questi inserti danno luogo alla maniera concitata con cui Cimabue osa accusare, e stigmatizzare la corruzione dei potenti e il compromesso dei colti, insieme a quell'altra, incantata in attonite pause di classica perfezione naturalistica; maniere che sono certo le più suggestive e accativanti e le più vicine a noi perché più "umane e reali", e perciò maniere che più edonisticamente sollecitano; ma esse sono anche l'aspetto direi quasi accidentale, anche se sicuramente non secondario, che fa da antitesi all'altro: quello agganciato, in una ricorrente continuità, alla realtà estremamente spiritualizzata e universale del bizantinismo.

È in questa aspra antitesi, non superata, né forse superabile da parte di Cimabue per ragioni di ordine storico e culturale, che s'innesta la problematica estetica del maestro; una problematica che si configura, va notato, in coincidenza al contemporaneo insorgere di fatti storici turbinosi e di una crisi spirituale che segna il tempo degli ultimi istanti del Medioevo. In quel triangolo geografico formato da Toscana, Umbria e Lazio e che ha come punti principali Firenze, Roma e Assisi, al tempo di Cimabue Papato e Impero sono ai ferri corti, mentre la borghesia sempre più inquieta inturgidisce le sue forze; Tommaso d'Aquino attua quella ch'è forse la più riuscita operazione di sintesi tra due mondi inconciliabili; il permanere della reviviscenza classica, già rinverdita dalla rinascita federiciana, riequilibra lo spasmo nevrotico e stupendo che segna tanta figurazione medievale; i francescani muovono le coscienze, rivelandosi scomodo centro di agitazione, che tuttavia non può rimanere ignorato sia per la carica rigeneratrice che emana dalla loro tematica sia per la grande influenza da essi esercitata. In questo clima, circolano forme d'arte prestigiose, di natura cosmopolita, come l'arte bizantina, ora nella rinnovata espressione neoellenica, l'arte carolingia, il gotico. È negli estesi confini di questi eventi storici e culturali che Cimabue si coinvolge, lasciandoci una testimonianza icastica soprattutto ad Assisi, dove per manifestare il suo impegno adopera il linguaggio figurativo come arma polemica, benché alla fine, egli ne venga fuori se non sconfitto, certamente non vittorioso. E in realtà, con il suo ideale fervore etico, da intellettuale colto e "impegnato", Cimabue si viene a trovare in un vicolo cieco, ove parrebbe preclusa ogni via d'uscita, stretti tra la tracotanza dei giochi di potere e un Medioevo fanatico che ottusamente continua a struggersi con i suoi favolosi ma anche spaventosi castelli mistici, con i suoi agghiaccianti fantasmi o le sue irremissibili ingenuità. Così, al dramma della forma – che s'innesta nell'antitesi non risolta tra linguaggio bizantino da una parte, che avvince, magicamente, anche per l'esacerbazione formale assoluta che sfiora l'astrazione, e il proporsi insistente, dall'altra, di un lessico più confacente al mutare della situazione storica – si accompagna il dramma umano di Cimabue, trascinato dalle sue scelte entusiaste ma arrischiate, dal fulmineo accendersi dei suoi umori, dai frequenti disincanti, dalla presa di coscienza delle contraddizioni sorte in seno all'edificio civile e religioso.

L'adesione alle vicende storiche, al momento di riflettersi nell'immagine pittorica, si tramutano dunque in segni che spesso vogliono dire passione, turbamento, collera. La grande *Crocifissione* e il ciclo apocalittico di Assisi ne sono esempi emblematici, e sono inoltre esempi stupefacenti di perfetta corrispondenza tra istanza storica ed esistenziale da una parte ed espressione figurativa dall'altra. Anche per ciò, là dove il maestro esalta le immagini con tempestoso espressionismo, mai visto prima così concitato e spietato, e in cui riflessione e dramma si proiettano simultaneamente, egli che fu "solitario, tormentato e infelice", accusa e grida, invadendo l'animo, e mozza il fiato. E in questa realtà sua esistenziale, nella quale il grido resta affatto tale e non lascia eco che lo plachi, è forse da cogliere la sua maggiore grandezza. Di tutta questa tragedia, senza catarsi, rimarrà forse appena un'ombra in Giotto. Il dettato cimabuesco risulterà infatti irripetuto, perché irripetibile assoluto ed estremo.

Si è accostato, per tutto ciò, Cimabue a Jacopone e, sotto alcuni aspetti, il paragone è calzante. Col poeta umbro, il pittore ha in comune il senso veemente di rivolta e l'ardore di rinnovamento; aperto si configura in entrambi il contrasto fra realtà vissuta e realtà *vivenda*, tra dovere e febbre di iniziative impossibili; il dualismo è in ambedue insanabile, mentre inconfondibile si forma il loro linguaggio che più spesso è scabro e aggressivo, ma che può risultare anche affinato e sereno. E tuttavia, la sfera poetica di Jacopone resta inesorabilmente circoscritta in ciò

che è stato definito "la più cupa e medievale negazione cristiana", sì che nulla in essa emerge che possa andare oltre. Cimabue non si smarrisce in questa "nichilitudine"; e le sue immagini, pure quando riflettono zone fosche del mondo medievale, sottintendono sempre una spinta vitale che riscatta ogni realtà transeunte.

Jacopone, come in una esacerbazione di mistica sensualità, che ben si addice al suo temperamento, ama affondare a volte perfino in quel ch'è repellente, per fare di questa umiliazione dono a Cristo; Cimabue è infinitamente lontano da tutto ciò. Il compiacimento del non essere, della negazione esistenziale, in lui non sorge affatto. E infine, la passionale esasperazione che è totale ed esclusiva nel linguaggio del poeta umbro, nel pittore fiorentino diviene una componente soltanto, importante certo, e drammaticamente vissuta, ma non costante e ossessiva; assume soprattutto ruolo di denuncia, e come tale esige senza remore il superamento.

Sostenere, in accordo con la tradizione vasariana, che Cimabue fu maestro a Giotto, oggi, alla luce dell'affinata esegesi condotta dalla critica moderna, non ha senso. Che Cimabue abbia contribuito a spianare la strada a Giotto, con l'esercizio di una milizia artistica che radicalizza le forme espressive, con quel denunciare soprattutto insoddisfazione e malessere ed esigenze di mutamento, non vuol dire affatto che il primo abbia esercitato una influenza decisiva sul secondo. Tra i due permangono differenze tali da sfiorare l'incomunicabilità; e questo è d'altra parte quanto dichiarano apertamente le sicure opere di Giotto e di Cimabue, tra le quali riuscirebbe assai difficile instaurare un rapporto di affinità, come invece non accade, ad esempio, per Giunta e Cimabue, o per Perugino e Raffaello, o per Giorgione e Tiziano.

A ciò va aggiunto che la visione pittorica di Cimabue ha caratteristiche del tutto differenti da quella di Giotto.

Nella pittura di Giotto, le numerose esperienze che vi convergono risultano assimilate – così da restare come sottintese – da un linguaggio pienamente autonomo, del quale la dimensione nuova entro cui l'artista delinea la realtà è uno dei principali aspetti; esattamente come del tutto nuova è ormai la realtà storica che lo coinvolge. Nella pittura di Cimabue, invece, nel momento in cui l'arte bizantina accenna a sopire le proprie energie, non si verifica ancora un mutamento deciso, nonostante che quegli inserti impetuosamente espressionistici ai quali prima si accennava possano anche indurre a pensarlo. La pittura di Cimabue continua quindi a portare anche una dominante impronta metafisica, che se non coincide più con la impersonale ieraticità della forma bizantina, ché anzi di questa mitiga l'inarrivabile trascendenza, non mostra nemmeno di sapersene distaccare completamente. L'angoscia cimabuesca scaturisce anche dalla presa di coscienza di questa impossibilità, che simultaneamente si pone in termini di linguaggio e di vicenda esistenziale; nel maestro esplode sì a tratti un'umanità accesa da bagliori, impetuosa e perciò sostanzialmente drammatica; e tuttavia, l'affacciarsi veemente della passione, non è aderenza piena alla nuova istanza individualistica, perché ogni gesto drammatico in Cimabue è tale in assoluto, segno icastico di un dramma anch'esso assoluto e universale. La stessa componente neoellenistica, che nel suo sforzo estremo di attingere una diversa visione figurativa divenne emblematica di una ben delineabile crisi storica ed estetica, anziché risolvere l'antinomia, finisce con l'evidenziare ancor più, nel maestro, il tormento di una ricerca affannosa che non può avere uno sbocco risolutivo.

Tutto ciò è in perfetta adesione, d'altra parte, all'esperienza storica dell'artista, vissuta nell'istante in cui la borghesia si avvia ormai verso la sua definitiva ascesa, ma non è ancora in grado di imporre una propria visione del mondo, e in particolare quell'assoluto individualismo che essa oppone sempre a ogni forma di universalismo che le contrasti la propria sfera di azione. Ben diversa si presenterà la situazione pochi anni dopo, in pieno fervore giottesco, quando ad esempio la signoria delle Arti si sarà pienamente affermata. Ma fino a quel momento, due realtà gigantesche, che assumono valore di simbolo e che si identificano con il Papato e l'Impero, condizionano ancora in modo determinante i fatti degli uomini. Un fermento di reazione è già fattivo, è vero, a ogni livello, filosofico, sociale, estetico, e la crisi troverà una soluzione su tutti i piani; ma Cimabue rimane avvolto soltanto in quel fermento e non va oltre. Questo è almeno quanto ci dicono i documenti esemplari che il maestro ci ha lasciato. In lui alcune realtà antitetiche si combattono: il bizantinismo e il protoumanesimo, l'individualismo e l'universalismo, l'impegno civile e la tradizione assolutistica e teocratica. In questo contrasto, se ciò che è diverso e arrischiato lo avvince e lo scatena, nello stesso tempo le strutture tradizionali parrebbero sempre attrarlo; come una soggiogante forza di richiamo dalla quale non riesce a staccarsi.

Del tutto diversi, quindi, il mondo figurativo cimabuesco e quello giottesco, anche perché agganciati a momenti e realtà diversi. Perciò è altrove che devono essere ravvisati le sorgenti e gli addentellati dell'arte di Giotto: oltre che nella prima sintesi di classico e di gotico attuata da Nicola Pisano e poi sviluppata dal figlio di lui Giovanni, oltre che in taluni affreschi della decorazione assisiate nella Basilica Superiore, alcuni permeati ancora di modi cimabueschi, altri, in maggior misura, di neoellenismo; anche e soprattutto sono da cogliere nella pittura del Cavallini. La esperienza romana, infatti, per Giotto è decisiva.

Nella sede papale, dove il rinvigorito bizantinismo neoellenico è pure avvertito, ma dove, più di questo, trova consonanze l'euritmia formale e fisiologica dell'arte classica, Cavallini avvia un discorso determinante per il sorgente umanesimo. Nutrito anch'egli d'arte bizantina, indubbiamente attento alla misura correttiva neoellenica introdotta dai contemporanei maestri orientali, e nello stesso tempo tiepido osservatore della maniera gotica, Cavallini evolve due aspetti essenziali del linguaggio figurativo: la determinazione dello spazio, anzitutto, che assume con lui una funzione più concreta e attiva, e quindi una più accessibile credibilità; la composizione dell'immagine, in secondo luogo, che nell'ispirarsi a modelli classici si struttura apertamente in funzione umanistica. I due cicli cavalliniani a noi pervenuti, i mosaici di Santa Maria in Trastevere e gli affreschi in parte perduti di Santa Cecilia in Trastevere, sono concrete testimonianze delle due conquiste cavalliniane.

Nelle figure di Santa Cecilia il protoumanesimo emerge già con pienezza e modernità: esso è il più diretto precedente delle cose mature di Giotto. Ma ciò che in particolare colpisce nel Cavallini è un altro aspetto della sua arte, meno considerato di solito, e cioè una diversa concezione dello spazio: da spazio bizantino impenetrabile, spianato e immobile, a spazio articolato in funzione delle immagini. È quanto si avverte proprio nel ciclo che di solito viene considerato, ma erratamente, il più tradizionale, del tutto bizantino, cioè il ciclo musivo di Santa Maria in Trastevere; quello stesso ciclo che trova anche ad Assisi un riflesso nel grande e maturo maestro delle 'storie' di Isacco.

Così come la pittura di Cimabue rappresenta il più clamoroso fenomeno artistico manifestatosi nella seconda metà del Duecento prima di Giotto, anche se non è di Giotto la principale premessa, così ora quella del Cavallini si rivela il fatto più inatteso.

Il classicismo cavalliniano, non più accademico-archeologico, ma strumento fattivo di rinascita umanistica, rappresenta inoltre per Giotto il più stimolante e vantaggioso precedente. E tuttavia, l'arte del Cavallini, pur nella sua vitale carica innovatrice, contiene sempre qualcosa di aulico; priva certo di politezza accademica, estremamente concreta nei suoi risvolti umanistici e per certi versi anche rivoluzionaria, essa subisce un condizionamento; e resta in conseguenza rattenuta, al suo primo fondamentale balzo, proprio nel momento in cui andrebbe accostumata, senza riserve, alla logica concreta della diversificazione culturale e storica. Il condizionamento, nella Roma del Cavallini, esiste ed è chiaramente ravvisabile. Esso ha origini analoghe a quelle già sottolineate allorché si è parlato di Cimabue, e scaturisce sempre dalla crisi non risolta in quello scorcio di secolo: crisi politica generale, e crisi spirituale della Chiesa che, scossa da fermenti non ortodossi, troverà tuttavia un compenso e un formidabile sostegno nell'edificio filosofico di Tommaso d'Aquino, al quale oltretutto la pittura del maestro romano, nei suoi aspetti più innovatori, per alcuni versi si adegua. Benché partecipe, decisamente, di un processo evolutivo ormai irreversibile, l'arte cavalliniana sembra dunque come arrestarsi dinanzi a questo 'blocco' politico e spirituale, non riuscendo a estendere la propria sfera di azione con quell'immenso campo di fantasia che farà invece attingere a Giotto – ormai inserito in un clima sociale e culturale diverso – la formale sintesi risolutiva.

È stata già prima rilevata in Cimabue una componente classica, per niente irrilevante. Occorre ora aggiungere che anche l'avvertimento dell'arte antica si traduce, nelle immagini cimabuesche, in un inserto 'naturalistico' entro un edificio che rimane essenzialmente bizantino.

Gli schemi compositivi permangono, pur con le variazioni genialmente arrischiate, quelli tradizionali; e perciò le passioni sono assolute, metaindividuali anche attraverso l'individuale; assoluto, unidirezionale e senza diversificazione resta sempre il fine da conseguire, anche se non va più inteso come ineffabile e metastorico, così come lo presupponeva la magica figurazione bizantina. Nelle immagini cimabuesche, il fremito passionale si accosta a pacate forbitezze di vena classica, e stilemi compositivi astratti si accompagnano a inserti di grande verità naturalistica, in una prova intensa e proficua che ha certo anche il valore di una sostanziale premessa; ma anche questa ampiezza di immagini porta ancora il vuoto di una nuova sintesi, quale sarà conquistata da Giotto allorché fonderà contenuto e forma in nuovo *unicum* indiscindibile.

Cimabue e Cavallini, nell'aderire nel modo più appagante a una situazione in fase di radicale rinnovamento, si riportano dunque, benché nutriti entrambi di arte bizantina, a una comune matrice classica; e tuttavia, differenti per temperamento e per formazione culturale, essi indirizzano la comune scelta in maniera diversa anche se non opposta.

L'arte del Cavallini è più serena e più distaccatamente filosofica, quella di Cimabue è segnata dal moto passionale e irruente di un uomo immerso sino in fondo nell'esperienza quotidianamente vissuta. Il classicismo dell'uno si configura come scelta assoluta, risultando quindi più omogeneo anche nel tempo; quello dell'altro, parrebbe essere attinto invece momento per momento, per più contingenti istanze, sia storiche sia estetiche, quasi sempre legate a un ben preciso stato esistenziale. Cavallini, interprete della cultura ufficiale romana, sia pure la più aggiornata, mira a un umanesimo realisticamente concreto ma fondamentalmente sereno; egli invera perciò la problematica etica concernente il nuovo rapporto che si va instaurando tra individuo e mondo metafisico, con il plasticizzare al massimo, alla maniera classica appunto, le sue immagini. In Cimabue, il cui processo di affinamento è irreversibilmente legato a una problematica a sfondo drammatico, agganciata a clamorosi episodi religiosi e politici, il classicismo si fa meno statico e concede spesso a un'espressività più appariscente. Ma ciò che in entrambi assurge a conquista incondizionata è il comune riferimento, anche se in misura diversa, al linguaggio classico quale veicolo più adatto per sottolineare l'emergere, ormai non più contenibile, di quell'esigenza umanistica che poi Giotto dichiarerà adeguatamente con la sua nuova visione pittorica.

È anche da questi eventi che in misura non secondaria affatto prende l'avvio il primo Rinascimento.

ENIO SINDONA

Cimabue *Itinerario di un'avventura critica*

La vicenda critica di Cimabue, della quale si riassumono qui i punti essenziali, ha inizio coi famosi versi di Dante (*Purgatorio*, XI, 91-99), che non soltanto per l'autorevolezza della fonte, ma altresì per essere stato il poeta contemporaneo dell'artista, rappresentano la testimonianza più autentica e attendibile sulla "realtà" (che in tempi successivi verrà in vario modo travisata) della persona e dell'arte del maestro fiorentino. L'Alighieri fa riferimento a un dato preciso, concreto e incontrovertibile: lo stacco che separa l'arte di Giotto da quella di Cimabue. Se l'arte di quest'ultimo, infatti, poté essere soppiantata da quella del più giovane artista in un lasso di tempo davvero insignificante, ciò vuol dire che un motivo di fondo doveva pur esserci (e il motivo consisteva, aggiungiamo, nella sostanziale diversità dei due linguaggi). In tempi successivi, i commentatori di Dante si soffermano sí sull'eccellenza della pittura di Cimabue, ma per rilevarne sempre, in aderenza alla citazione dantesca, il distacco da quella di Giotto; tra costoro è da ricordare quell'anonimo fiorentino, che intorno al 1333-34, ci trasmette in più una considerazione sul carattere di Cimabue; questi sarebbe stato certo "nobile" come pittore, ma per altro verso "arrogante" e "sdegnoso".

Il Boccaccio (*Decameron*, V, 6), nel tessere l'elogio di Giotto, mostra di ignorare Cimabue, il cui nome si può sottintendere tra quei pittori medievali che "più che dilettar gli occhi degli ignoranti che a compiacere allo 'ntelletto de' savi dipingendo intendevano". Con il Ghiberti, circa un secolo e mezzo dopo la morte del maestro, assume corpo in una testimonianza scritta la leggenda della discepolanza di Giotto, e in aggiunta quell'altra, assai fantasiosa, dell'incontro di Cimabue con il fanciullo povero figlio di Bondone; una favola ingenua e suggestiva, quest'ultima, che resisterà per secoli, tanto che nell'Ottocento la fantasia del Daveria ce ne offrirà anche una versione figurata (qui riprodotta a pag. 83). Però non ci viene ancora proposto alcun giudizio critico sull'opera del maestro; un accenno in questo senso possiamo appena rinvenirlo nell'Anonimo Magliabechiano, che oltre a compilare una breve lista di opere attribuite a Cimabue, osserva come questi, nel tenere la "maniera greca", ritrovasse anche "i lineamenti naturali e la vera proportione".

Per avere un copioso elenco — sebbene in gran parte inesatto — di opere del maestro e un più complesso giudizio critico, occorre attendere il Vasari che dedica a Cimabue la prima delle sue *Vite* (1568²): particolare molto significativo, poiché, pur considerando giustamente Cimabue come seguace dei maestri greci, il biografo ne evidenzia lo specifico ruolo nel superare la loro maniera; lo fa assurgere anzi a rinnovatore della pittura — giacché Cimabue ebbe "poco meno che resuscitata" tale arte —, e in tutto degno in conseguenza di aprire la lista delle sue *Vite*; il Vasari porta quindi un contributo sostanziale per una opportuna distinzione tra la maniera bizantina tradizionale e il già diverso, per certi aspetti, linguaggio cimabuesco e nello stesso tempo, rilevando gli aspetti naturalistici dell'arte del maestro, modifica, rispetto alla tradizione facente capo all'Alighieri, il rapporto Cimabue-Giotto, che da rapporto di netta distinzione assurge a rapporto di stretta relazione. L'impostazione (la leggenda, come preferisce definirla il Nicholson) vasariana, permarrà pressoché immutata per circa due secoli; ancora nel 1681

è accolta dal Baldinucci, che ai molti dati improbabili aggiunge quello dell'appartenenza di Cimabue alla nobile famiglia dei Gualtieri. Occorre attendere il Settecento perché, in pieno fermento illuministico, si profilino le prime avvisaglie di fronda; con il Della Valle soprattutto, seguito dal Da Morrona. Convinto della priorità della scuola senese su quella fiorentina e dell'importanza inoltre della scuola romana e di quella pisana, il Della Valle minimizza affatto il ruolo di Cimabue, considerando mediocri gli affreschi assisiati di sua mano. La posizione di rottura da lui assunta nei confronti della scuola fiorentina, benché piuttosto sconsiderata, sortì però l'effetto di riproporre il problema delle origini dell'arte giottesca; violando così per la prima volta i confini mitici entro i quali le aveva relegate il Vasari, e delineando inoltre quella bipolarità di posizioni di cui risente ancora la critica contemporanea. Ma già il Lanzi, poco tempo dopo, prendeva posizione avverso alle tesi del Della Valle e del Da Morrona, e riportava i fiorentini in primo piano, assegnando nuovamente a Cimabue ruolo primario. Nell'Ottocento, al problema cimabuesco non vengono dedicati contributi di particolare impegno, mentre continua a rimanere irrisolto quello del catalogo delle opere (basti pensare alla strana vicenda critica della *Madonna* Rucellai). È tra la fine del secolo e i primi del Novecento, che si assiste a un riemergere di posizioni anticimabuesche, e in misura ancor più drastica di quanto non fosse avvenuto nel Settecento; ne sono vessiliferi soprattutto Wickhoff, Richter, Langton Douglas e Benkard, che considerano Cimabue come una vaga personalità artistica, difficilmente ricostruibile, e quindi del tutto lontana dalla narrazione vasariana. Tuttavia, gli studi sul maestro vanno assumendo un maggiore rigore scientifico e una più reale consistenza: appaiono i contributi del Cavalcaselle, al quale si deve un primo tentativo di distinguere diverse mani nel transetto della Basilica Superiore di Assisi; dello Strzygowski, che tra l'altro pubblica il documento sul soggiorno romano di Cimabue; del Thode, che dedica all'artista un ampio studio per molti aspetti ancora oggi valido, soprattutto per il catalogo delle opere e la lettura degli affreschi assisiati; dello Zimmermann, pure particolarmente attento all'esame degli affreschi di Assisi; dell'Aubert, al quale si devono intuizioni molto acute sulla datazione e sulla paternità dei suddetti affreschi. Infine, sempre agli albori del secolo, A. Venturi, traccia di Cimabue un profilo fiero, come già il Lanzi, e di rinnovatore della pittura italiana; il catalogo delle opere da lui compilato, risulta tuttavia ancora impreciso, anche se arricchito di validi suggerimenti. In tempi successivi, il continuo approfondimento degli studi cimabueschi propone in maniera sempre più estesa il problema – che, come rileva il Salvini, rimane tuttora aperto – di tutta la cultura figurativa della fine del Duecento e in particolare delle origini dell'arte di Giotto. Nell'insieme della dibattuta problematica, veniva a inserirsi intanto il contributo (1928) del Muratov per la conoscenza dell'arte bizantina neoellenistica, che suscitò pure dissensi ma che è da considerare in ogni caso un punto di riferimento essenziale ai fini di una più completa e accorta impostazione del problema figurativo pregiottesco; tanto da trovare autorevole eco anche in tempi abbastanza recenti (Salvini, 1950). È del 1937 il fondamentale studio di Mario Salmi sulle origini dell'arte di Giotto, che svolgendo con più puntuale e stimolante indagine un'intuizione ch'era già stata tra gli altri del Thode, di A. Venturi e del Toesca, evidenzia da una parte il divario che separa Cimabue da Giotto (insieme a quel poco che li ravvicina), e dall'altra le relazioni precise che invece esistono tra quest'ultimo e l'arte romana degli ultimi decenni del secolo. La grande mostra giottesca tenutasi a Firenze nel 1937 (ma il cui catalogo porta la data del 1943), diveniva intanto un'importante occasione di ulteriori indagini e approfondimenti, con particolare riguardo a Cimabue: ne trassero spunto tra gli altri il Longhi (1948), che mentre da una parte ampliava il catalogo di Cimabue assegnando al maestro alcune tavole, dall'altra esponeva una sua personale opinione sul problema dell'arte dugentesca, dissentendo anche in parte dall'impostazione che veniva a risultare dalla mostra; e inoltre il Garrison (1949), che nel ridimensionare la componente fiorentina nella pittura nel Duecento, dava anche ampio spazio alle altre scuole. Pure del 1949 è l'importante studio del Coletti sugli affreschi della Basilica di Assisi, condotto su un piano critico più rigoroso, anche se più sintetico, rispetto al-l'analisi pur diligente e molto ampia effettuata dal Kleinschmidt nel 1915; di particolare rilievo risultano le sue considerazioni sulle diverse mani ravvisabili nel transetto della Chiesa Superiore e, inoltre, le

sue osservazioni sull'apporto romano. Tra quanti dissentono dal considerare come inscindibilmente legate l'arte di Cimabue e quella di Giotto, non può essere taciuto il nome di uno dei più autorevoli studiosi contemporanei di arte medievale: Victor Lazarev che mentre tiene a rilevare la forte componente bizantina aulica della pittura di Cimabue, sottolinea fortemente la componente romana-cavalliniana dell'arte di Giotto.

Le monografie non a carattere divulgativo dedicate esclusivamente a Cimabue, sono soltanto tre: quella del Nicholson (1932), molto accurata, si distingue per il rigore con cui viene inquadrata tutta l'opera del maestro anche alla luce dei più rilevanti apporti critici; quella del Salvini (1946), ricca di acute intuizioni sul mondo figurativo cimabuesco, cui però dev'essere affiancata la *Postilla a Cimabue* (1950), dove lo studioso approfondisce alcuni dei problemi precedentemente affrontati, aggiungendo interessanti considerazioni soprattutto sulla cultura neoellenistica. Infine, la monografia del Battisti (1963), nella quale vengono efficacemente delineati sia l'ambiente culturale nel quale visse Cimabue, sia il ruolo determinante svolto, durante il trapasso da un'epoca a un'altra dell'arte figurativa, dal maestro fiorentino. Va segnalato infine che lo studio più approfondito sul fondamentale ciclo apocalittico di Assisi è quello di Augusta Monferini (1966).

O vanagloria dell'umane posse,
com' poco verde in su la cima dura,
se non è giunta dall'etati grosse!

Credette Cimabue nella pittura
tener lo campo; ed ora ha Giotto il grido
sì che la fama di colui oscura.

Così ha tolto l'uno all'altro Guido
la gloria della lingua; e forse è nato
chi l'un e l'altro caccerà di nido.

DANTE ALIGHIERI, *Divina Commedia*, Purgatorio, I, 91-99, 1310-15 c.

Qui narra per esempio, e dice, che come Oderigi nel miniare, così Cimabue nel dipingere, credette essere nominato per lo miglior pittore del mondo, e 'l suo credere venne tosto meno, peroché sopravvenne Giotto, tale che a colui ha tolto la fama; e dicesi ora pure di lui. Fu Cimabue nella città di Firenze pintore nel tempo dello Autore, e molto nobile, de più che uomo sapesse; e con questo fu sì arrogante, e sì sdegnoso, che se per alcuno gli fosse a sua opera posto alcuno difetto, o egli da sé l'avesse veduto (che, come accade alcuna volta, l'artefice pecca per difetto della materia in ch'adopera, o per mancamento che è nello strumento, con che lavora) immantenente quella cosa disertava, fosse cara quanto si volesse.
ANONIMO FIORENTINO (Andrea Lancia?), *L'ottimo commento della "Divina Commedia"* (sec. XIV), I, 1828

Nella città di Firenze, che sempre di nuovi uomeni è stata doviziosa, furono già certi dipintori e altri maestri, li quali essendo a un luogo fuori della città, che si chiama San Miniato a Monte, per alcuna dipintura e lavorio, che alla chiesa si doveva fare; quando ebbono desinato con l'Abate, e ben pasciuti e bene avvinazzati, cominciorono a questionare; e fra l'altre questione mosse uno, ch'avea nome l'Orcagna, il quale fu capo maestro dell'oratorio nobile di Nostra Donna d'Orto San Michele: Quale fu il maggior maestro di dipignere, e altro, che sia stato da Giotto in fuori? Chi dicea che fu Cimabue, chi Stefano, chi Bernardo (Daddi), chi Buffalmacco, e chi uno e chi un altro. Taddeo Gaddi, che era nella Brigata, disse: "Per certo assai valenti dipintori sono stati, e che hanno dipinto per forma, ch'è impossibile a natura umana poterlo fare: ma quest'arte è venuta e viene mancando tutto dì".
F. SACCHETTI, *Trecentonovelle*, Novella 136, 1392-97 c.

[...] E fra questi per primo Giovanni, soprannominato Cimabue, quell'arte della pittura, ancora antiquata e, per l'insipienza dei pittori, puerilmente staccata dalla somiglianza della natura, cominciò con perizia e ingegno a riportarla alla natura, quando ne era ormai bizzarramente lontana. Si sa poi che, prima di lui, la pittura latina e greca era rimasta per molti secoli sotto il dominio dell'assoluta imperizia, come mostrano chiaramente le figure e le immagini che adornano, in tavole e affreschi, le chiese. Dopo di lui essendo già stata aperta la via, Giotto, che non solo è da paragonare agli antichi pittori per fama, ma da preporre loro per l'abilità dell'ingegno, riportò alla primitiva dignità e fama la pittura.
F. VILLANI, *De origine civitatis Florentinae et eiusdem famosis civibus*, 1405 c.

Cominciò l'arte della pittura a sormontare in Etruria. In una villa allato alla città di Firenze, la quale si chiama Vespignano, nacque un fanciullo di mirabile ingegno, il quale si ritraeva del naturale una pecora. In su passando Cimabue pittore per la strada a Bologna vide il fanciullo sedente in terra e disegnava in su una lastra una pecora. Prese grandissima ammirazione del fanciullo, essendo di sì piccola età fare tanto bene. Domandò, veggendo aver l'arte da natura, il fanciullo come egli aveva nome. Rispose e disse. — Per nome io son chiamato Giotto: il mio padre à nome Bondoni e sta in questa casa che è appresso. — disse. Cimabue andò con Giotto al padre: aveva bellissima presenza: chiese al padre il fanciullo: il padre era poverissimo. Concedettegli il fanciullo e Cimabue menò seco Giotto e fu discepolo di Cimabue: tenea la maniera greca, in quella maniera ebbe in Etruria grandissima fama: fecesi Giotto grande nell'arte della pittura.
L. GHIBERTI, *I commentari*, II, 1455

Giovanni pittore, per cognome detto Cimabue, fu circha il 1300 e nelli sua tempi per le sue rare virtù era in gran veneratione. E esso fu, che ritrovò i lineamenti naturali e la vera proportione, da Greci chiamata simitria, et fece le fiure di varii gesti e teneva nell'opere sue la maniera Grega. Hebbe per compagno Gaddo Gaddo et per discepolo Giotto.

Et tra l'altre sue opere si vede in Firenze una Nostra Donna grande in tavola nella chiesa di Santa Maria Novella acanto alla Cappella de Rucellaj. E nel primo chiostro de frati di Santo Spirito fece certe historie non molto grandi.

In Pisa nella chiesa di San Francesco è di sua mano in tavola dipinto un san Francesco.

A 'Scesj [Assisi] nella chiesa di Santo Francesco dipinse, che dipoi da Giotto fu seguitata tale opera.

In Empoli nella pieve operò anchora.

ANONIMO FIORENTINO, *Codice Magliabechiano*, 1537-42 c. (ed. Frey, 1892)

Ma per tornare a Cimabue, oscurò Giotto veramente la fama di lui, non altrimenti che un lume grande faccia lo splendore d'un molto minore; perciò che sebbene fu Cimabue quasi prima cagione della rinnovazione dell'arte della pittura, Giotto nondimeno, suo creato, mosso da lodevole ambizione et aiutato dal cielo e dalla natura, fu quegli che andando più alto col pensiero, aperse la porta della verità a coloro che l'hanno poi ridotta a quella perfezzione e grandezza, in che la veggiamo al secolo nostro [...].

G. VASARI, *Le vite*, 1568[2]

[...] E così, innanzi che Cimabue e Giotto fussero al mondo, si dipigneva nel mondo, ma Cimabue scoperse e Giotto finì di trovare una così nuova e bella e non più dagli uomini d'allora veduta maniera, che le pitture usate fino a quel dì parvero ch'ogni altra cosa fossero che pitture [...].

F. BALDINUCCI, *Notizie de' professori del disegno*, I, 1681

Vasari attribuisce a Cimabue la maggior parte delle pitture della Chiesa Superiore di Assisi; ma basta avere una piccola idea del disegno e della maniera di lui e di Giotto suo scolaro per avvedersi del contrario; si distinguono le maniere progressive di Giunta, di Cimabue, di Giotto, di Giottino, che vi dipinsero. Cimabue è quello che vi fa peggior comparsa. Regna nelle sue pitture una stucchevole monotonia [...].

G. DELLA VALLE, *Lettere senesi di un socio dell'Accademia di Fossano sopra le Belle Arti*, I, 1782

Comunque siasi, Giovanni su l'esempio di altr'italiani del suo secolo vinse la greca educazione, la quale pare che fosse di andarsi l'un l'altro imitando, senza aggiugner mai nulla alla pratica de' maestri. Consultò la natura; corresse in parte il rettilineo del disegno; animò le teste, piegò i panni, collocò le figure molto più artificiosamente de' Greci. Non era il suo talento per cose gentili: le sue Madonne non han bellezza; i suoi Angeli in un medesimo quadro son tutti della stessa forma. Fiero come il secolo, in cui viveva, riuscì egregiamente nelle teste degli uomini di carattere, e specialmente de' vecchj imprimendo loro un non so che di forte, e di sublime, che i moderni han potuto portare poco più oltre. Vasto e macchinoso nelle idee diede esempi di grand'istorie, e l'espresse in grandi proporzioni. Le due Madonne in grandi tavole, che ne ha Firenze, l'una presso i Domenicani, con alcuni busti di Santi nel grado; l'altra in S. Trinita, con quei sembianti di Profeti, sì grandiosi, non danno idea del suo stile come le pitture a fresco nella Chiesa Superiore di Assisi, ove comparisce ammirevole per que' tempi. In quelle sue istorie del Vecchio e Nuovo Testamento, che ci rimangono (perciocché non poche ne ha scancellate, o almen guaste il tempo) egli apparisce un rozzo Ennio, che fin dall'abbozzare l'epica in Roma dà lumi d'ingegno da non dispiacere a un Virgilio.

L. LANZI, *Storia pittorica della Italia*, I, 1809

L'ingegno, la maestria di Cimabue, non potranno mai essere tenuti in troppo alto prestigio; ma nessuna Madonna di sua mano avrebbe mai fatto esultare l'anima dell'Italia, se durante mille anni, precedenti, più d'un Greco e più d'un Goto d'ignoto nome non avrebbe mai fatto esultare l'anima dell'Italia, se durante mille anni, nell'amore di lei. [...]

Conciliare il dramma con il sogno era il compito, relativamente facile, di Cimabue; ma non altrettanto facile era conciliare il buon senso con la follia (sempre adoperando con molta reverenza tale

parola). Non deve perciò recar meraviglia che colui, il quale succedendo a Cimabue vi è riuscito, abbia un gran nome nel mondo.

J. RUSKIN, *Mornings in Florence*, 1876 (ed. it. 1908)

Non a caso i tre altari della Chiesa Superiore sono consacrati ai santi Maria, Pietro e Michele, nei confronti dei quali san Francesco nutriva una devozione particolare. Anzi la raffigurazione di san Michele e le 'storie' apocalittiche a lui riferentisi assumono valore simbolico come allusive a san Francesco, in cui si vede realizzata la profezia del settimo angelo dell'Apocalisse. Gli affreschi alludono quindi all'avvento di una nuova epoca, alla liberazione della Chiesa, alla lotta dei tre ordini francescani contro il drago dell'eresia. Ma a raffigurare degnamente tali eventi doveva essere il pittore più importante di quel secolo cui Francesco aveva impresso il suo segno, e cioè Cimabue. A lui e a nessun altro sono da attribuire tutti gli affreschi discussi. Già nella prima *Crocifissione* incontriamo una grande personalità di creatore e innovatore che a mano a mano, nel corso del lavoro, si è sviluppata in modo sempre più espressivo e pregnante trovando la più alta perfezione nella *Crocifissione* del transetto meridionale. Questo serve a porre in chiaro in modo inequivocabile la differenza fra originalità dell'invenzione e autonomia della sensibilità artistica. Le scene della vita di Pietro e di Maria sono generalmente raffigurazioni che ripetono schemi iconografici tradizionali, ma trattate con nuovo vigore. Nell'insieme sembra che non vi sia nulla o quasi di nuovo, ma da ogni singola figura, da ogni movimento si sprigiona un'energia compositiva prima sconosciuta, in un cosciente anelito di monumentalità. Non si tratta più di figure che avanzano timidamente, prive di forze interiore e meccanicamente tipizzate, bensì di esseri umani consapevoli della loro forza e della loro intima potenzialità.

H. THODE, *Franz von Assisi und die Anfänge der Kunst der Renaissance in Italien*, 1885

Questa abilità selettiva nella scelta dei modelli si palesa in artisti particolarmente dotati come Nicola Pisano e Cimabue; ma in Cimabue interviene un altro fattore di rilievo: la dimensione della personalità umana. Raramente, anche pittori a noi noti o di nome o per l'ingente produzione artistica, quali ad esempio Giunta Pisano, Guido da Siena, Margaritone d'Arezzo, Coppo di Marcovaldo si distinsero per una loro spiccata personalità. Per quanto riguarda l'arte paleo-cristiana, l'arte musiva romana, l'arte bizantina e siculo-normanna non nasce in noi il desiderio di conoscere l'identità dei singoli artisti alle cui mani si debbono tali opere, essendo esse carenti di un'impronta personale e interpretando soltanto gli orientamenti artistici del tempo e del genere trattato. Cimabue è il primo ad assumere una configurazione propria che stimola lo spettatore, interessandolo alle vicende personali del maestro. E questo perché è il primo pittore che ha saputo conferire alle figure da lui plasmate un sapore terreno dando loro pensieri e sentimenti autonomi.

M. I. ZIMMERMANN, *Giotto und die Kunst Italiens im Mittelalter*, 1899

Tutto ciò che noi sappiamo di Cenni dei Pepi è questo: che egli era un ragguardevole artista fiorentino, soprannominato Cimabue, fiorito nella seconda metà del secolo XIII e nei primi anni del seguente; che egli aveva eseguito un mosaico per la Cattedrale di Pisa e una pala d'altare nella stessa città; l'una delle quali è stata dispersa, mentre l'altro fu interamente rinnovato.

L. DOUGLAS, *The Real Cimabue*, in "Nineteenth Century", 1903

I risultati delle nostre ricerche sulla patria artistica del grande Maestro d'Assisi e sulla sua collocazione nella storia della pittura italiana sono dunque i seguenti: le sue radici affondano nella vita artistica fiorentina della seconda metà del XIII secolo; la sua arte è strettamente connessa attraverso vari canali allo sviluppo artistico di Roma; la sua attività in Assisi cade intorno al 1270 (ad ogni modo non molto prima) e negli anni seguenti egli avvia, in quanto antesignano, quel processo innovatore dell'ultima generazione del Duecento, quell'evoluzione artistica che funge da premessa all'opera innovatrice di Giotto.

A. AUBERT, *Die malerische Dekoration der S. Francesco Kirche in Assisi, Ein Beitrag zur Lösung der Cimabue Frage*, 1907

A destra sono dipinti i fatti della vita di San Pietro, e si discernono le scene della *Guarigione dello storpio alla porta del tempio di Gerusalemme*, la *Caduta di Simon Mago*, la *Crocefissione dell'Apostolo*. Infine la *Crocefissione di Gesù* chiude pure il ciclo delle rappresentazioni di questo braccio destro, secondo lo Zimmermann, d'un artista più antico di Cimabue, ancora informato ai canoni dell'arte precedente e che dovette adattarsi alla scelta ed alla disposizione dei soggetti secondo il pensiero di Cimabue. Eppure la mano del maestro si riconosce quasi da per tutto nel braccio destro della crociera; vedansi, ad esempio, alcune teste [...], che sembrano ricavate da un bassorilievo in bronzo. Probabilmente egli ebbe un aiuto, che usò in specie nelle decorazioni della galleria superiore, in cui mutano le vecchie forme delle archeggiature, là terminate a cuspidi allungate con gugliette laterali. Questo sopravvenire o accentuarsi del gotico segna di per sé una forma più nuova del resto, onde, meglio che a un vecchio artista sopraffatto dal giovane Cimabue, si può pensare a un giovane pittore aiuto del maestro fiorentino, che si rivela tutto ispirato alle forme romane nel Terebinto neroniano a nicchioni e nelle grandi sagome delle architetture, dipinte nei fondi dei quadri con la vita di San Pietro. Per lui è la rinascita dell'antico nella pittura, come per Niccola d'Apulia nella scultura. Così Cimabue e il Cavallini suo compagno lavorano di conserva, per annodare le loro giovani forze alla tradizione secolare e condurre l'arte a forma italiana.

A. VENTURI, *Storia dell'arte italiana*, V, 1907

[...] Il Rintelen giunge a una interpretazione molto artificiosa del famoso passo del Purgatorio (c. XI). Egli fa un'equazione: Guinicelli - Cavalcanti = Cimabue - Giotto e ne inferisce che Cimabue è collocato in una schiera di uomini equivalenti, tra cui si trova lo stesso Cavalcanti, l'amico di Dante e il mistagogo dello "stil novo"; i due miniatori, meno importanti e citati evidentemente a mo' di esempio, vengono quindi lasciati prudentemente sulla soglia. Il Rintelen ritorna persino all'antica opinione naturalmente non confutabile, ma difficilmente dimostrabile, che Cimabue possa esser stato il maestro di Giotto, perché Dante sarebbe nominato indirettamente accanto ai suoi due "maestri", Guinicelli e Cavalcanti, ciò che neppure è sicuro ed è anche assai combattuto dagli interpreti moderni. Proprio lo stesso hanno scoperto nel passo di Dante gli antichi scoliasti; forse inconsapevolmente; ma questi hanno anche fatto, allo stesso modo, Franco scolaro di Oderisi!

Che Dante dunque ponga su uno stesso piano Cimabue e il Guinicelli da lui tanto stimato, è un'ipotesi arbitraria e indimostrabile, che ci obbligherebbe anche a considerare Oderisi come il terzo della serie. In tutto il passo, che ha soltanto un significato morale, corrispondente all'*ambiente*, non c'è alcuna vera intenzione di apprezzamento. Nessuno vorrà dubitare che Cimabue fosse ancora per Dante una figura reale; ma non possiamo assolutamente sapere in qual grado e se veramente in un grado superiore ai due miniatori di Gubbio e di Bologna, che eran pure suoi contemporanei; e tutte le altre son parole vane. Già per i primi commentatori di Dante, e soprattutto per quelli che vennero poi, Cimabue non era nulla di più che un nome, su cui la sapienza degli scoliasti andava accumulando tutto ciò che pareva plausibile; troppo è evidente il processo di formazione della leggenda, per poter supporre diversamente. Allo stesso modo intorno ai due miniatori è nato un intreccio di leggende che nessuno oggi prende sul serio. Di questo soltanto si tratta; dal Cimabue di Dante, a voler esser sinceri, nessuna via conduce più al Cimabue che noi oggi conosciamo, soltanto da un'opera restaurata di seconda mano, il mosaico di Pisa, e da un paio di magre notizie documentarie, quantunque questa via possa esser stata ancora accessibile a Dante; e

neppure conduce agli epigoni del secolo XVI, di cui solo il Billi si mette a citare delle opere che erano rimaste ancora ignote al principale testimone del Trecento, il Ghiberti! Né meno ci deve impensierire il fatto che a Cimabue, la cui fama è dovuta soltanto a Dante, troviamo un parallelo perfetto in Policleto, la cui fama eccezionale nel Rinascimento, dovuta anch'essa alla menzione che di lui si fa nella Commedia, non ha alcuna rispondenza nella tradizione antica.

J. SCHLOSSER MAGNINO, *Die Kunstliteratur*, 1924 (ed. it. 1964³)

In Italia durante il XIII secolo e soprattutto nella seconda sua metà si osserva, come esattamente dice il Toesca, un "influsso della pittura bizantina, continuo, crescente così da avere la massima intensità appunto nel momento che precedette Giotto". Purtroppo fra gli storici che scrissero del Dugento italiano, il Toesca rimane l'unico il quale esprima questa opinione pienamente corroborata dai fatti. Il Venturi non ha valutato in misura sufficiente la parte di Bisanzio; il Siren che specialmente ha studiato i maestri toscani del XIII secolo, è rimasto suggestionato da idee assolutamente erronee in merito all'arte bizantina: in ogni successo positivo egli invariabilmente vuol vedere: "una emancipazione dal dominante stile di Bisanzio". Non è libero da questo pregiudizio neppure il Van Marle al quale sembra non fosse mai balenata l'idea che l'arte bizantina portasse in sé tradizioni ellenistiche.

P. MURATOV, *La pittura bizantina*, 1928

A Roma, molto più che l'antichità classica, agì su Cimabue l'influenza delle botteghe contemporanee, del Cavallini, di Jacopo Torriti e di quanti presso di loro, con opere a fresco e a mosaico, realizzavano in quell'epoca le grandi decorazioni basilicali. In realtà la scuola romana non deve alla frequentazione della scultura e architettura antica che certe soluzioni di drappeggio, alcuni motivi decorativi e soprattutto le proporzioni grandiose, la monumentalità delle figure. È proprio quest'ultimo elemento che conferisce ad essa un carattere peculiare di grandezza, attraverso il quale la tradizione si palesa nel suo più autentico significato. Del resto, l'insegnamento pittorico deriva interamente — come in tutta Italia e per gran parte in Europa — dai 'maestri greci', cioè dagli artisti orientali.

G. SOULIER, *Cimabue, Duccio et les premières écoles de Toscane à propos de la Madone Gualino*, 1929

I mosaici del "bel San Giovanni" esercitarono [...] un'altra e più elevata azione: spetta ad essi di aver trasformato l'ambiente e di aver trasfuso larghezza e plasticità nei dipinti su tavola, in modo da preparare l'avvento di Cimabue e di Giotto.

M. SALMI, *I mosaici del 'bel San Giovanni' e la pittura nel secolo XIII a Firenze*, in "Dedalo", 1930-31

È attualmente oggetto di approfonditi studi in qual misura Cimabue potesse venir influenzato dalla cultura di Roma, i cui monumenti architettonici come pure l'antica tradizione del mosaico e dell'affresco murale nelle decorazioni delle chiese, erano tornati di moda negli ultimi anni del Duecento. Non va dimenticato che nel 1272, unica data certa comprovante la presenza di Cimabue nell'Urbe, il Cavallini, generalmente considerato il caposcuola del *revival* romano, doveva essere appena giovinetto se la sua data di nascita comunemente accettata è più o meno esatta. Inoltre le sue prime opere, databili con una certa attendibilità – gli affreschi già in San Paolo fuori Le Mura – sembrano essere state eseguite intorno al 1285, mentre nessuna delle opere esistenti può essere collocata prima del 1290. Naturalmente non si può dire per quanto tempo Cimabue si sia fermato a Roma poiché avrebbe potuto tornarvi in un secondo tempo ma non esistono prove che il Cavallini o qualsiasi altro pittore romano contemporaneo abbiano avuto un'influenza determinante sulla sua arte. Al contrario in parecchie sezioni della navata della Chiesa Superiore di Assisi si evidenzia il suo ascendente su taluni di questi. Così, apparentemente, né l'ornamentalismo cosmatesco né il goticismo superficiale di Arnolfo da Cambio sembrano interessarlo.

A. NICHOLSON, *Cimabue. A Critical Study*, 1932

13

Il tradizionale legame di Giotto con Cimabue indirizza invariabilmente tutte le indagini su una falsa strada, in quanto entrambi questi maestri partono da premesse completamente diverse. Questo è il motivo per cui sono rimasti infruttuosi gli innumerevoli tentativi degli studiosi di scoprire lavori di Giotto tra i dipinti dei seguaci di Cimabue nella chiesa superiore di San Francesco in Assisi. Giotto non poté prendere parte a questi dipinti, poiché apparteneva ad una generazione più giovane, la cui attività si basava ormai sulla riforma realizzata da Cavallini. Con il ciclo di San Francesco, uscito dalla scuola romana, e che non rivela la benché minima somiglianza stilistica con le opere autentiche di Giotto, questi non ha alcun rapporto.

V. LAZAREV, *Storia della pittura bizantina*, 1947-48 (ed. it. 1967)

Il neoclassicismo bizantino in due diverse varianti, di ritmica lineata la prima, di vecchio illusionismo plastico la seconda, toccano Duccio e il Cavallini che rischierebbero entrambi una suprema accademia se poi non corressero a salvamento, il primo avvertendo la vivente flessibilità 'gotica' (erede della passione carolingia), il secondo, proprio all'opposto di quanto si assume comunemente, strusciandosi alla massiccia finzione 'romanica' di Giotto.

R. LONGHI, *Giudizio sul Duecento*, in "Proporzioni", 1948

[...] Poiché il frescante di Anagni mostra chiaramente di muoversi lungo quella linea di sviluppo del tardo bizantinismo di provincia che è attestata da una serie, purtroppo quanto mai lacunosa, di cicli d'affresco balcanici, a cominciare da quello altissimo di Nerez, dove una ventata calda di umanissima drammaticità ricompone in un ritmo nuovo e appassionato le compassate cadenze della vecchia tradizione bizantina. Non si vuol negare con questo che fermenti occidentali possano entrare per qualcosa nella formazione dei maestri di Anagni e di San Martino, ma è certo che quell'inclinazione patetica non era patrimonio esclusivo dell'occidente, ma animava ormai da almeno cent'anni tutta una vasta corrente — che si suol dire provinciale — dell'impero artistico di Bisanzio. Sarà da osservare piuttosto che nel Maestro di San Martino è, rispetto al precedente di Anagni, un fare più solenne, un'intonazione più eroica che fa supporre questo maestro al corrente anche di manifestazioni *metropolitane* del neoellenismo. Comincia così ad acquistare concretezza storica l'intuizione del Nicholson sui rapporti che forse potrebbero cogliersi fra l'arte di Cimabue e la pittura macedone del XII secolo. E meglio si chiarisce il valore della componente bizantina, che sarebbe altrettanto ingiusto sopravvalutare che sminuire, nell'arte del maestro fiorentino. Componente che va abbracciata in tutta la sua complessità: nel suo tronco metropolitano, di spirito più raffinato ed aulico, e nelle sue diramazioni provinciali, più fervide e drammatiche, ma anche in quella sintesi delle due correnti, già tinta magari di occidentalismo, quale si coglie appunto nel Maestro di San Martino.

Nel ciclo della chiesa alta di Assisi possiamo valutare appieno il significato della radice bizantina dell'arte di Cimabue: ché se lo spirito spregiudicatamente combattivo di quella drammaticità rivela una mentalità artistica tutta occidentale, pure l'accento cupamente malinconico che lo colora ha una chiara affinità elettiva col *pathos* macerante dei freschisti di Balcania. Mentre l'ampiezza del metro e lo spirito catartico che vi si esprime, necessaria controparte a tanto abbandonato espressionismo, è retaggio della ritmicità totale della bizantinità aulica.

R. SALVINI, *Postilla a Cimabue*, in "Rivista d'arte", 1950

[...] Lo stesso primo tempo di Cimabue, durante il settimo decennio, non manca di interessare gli spiriti un po' tenebrosi, ma apprensivi nell'àmbito, ad esempio, umbro-aretino, innestando quel che di tragicamente nuovo essi potevano intendere dalla Croce di San Domenico nella traccia della tradizione di Giunta. Per non soggiungere [...] di Coppo stesso che nel decennio successivo sembra raccogliere più intimamente che mai, a Pistoia, dalla supremazia poetica di Cimabue.

C. VOLPE, *Preistoria di Duccio*, in "Paragone", 1954

Il genio, quando è tale, non ha bisogno di inventare, ma sta alla vita e al contributo valido del passato, che gli è dentro da *sé*, per ragione morale: non si può dubitare perciò che Cimabue, nell'intelligenza della tumultuosa capacità di vero confessata da questi grandi spiriti, si risolvesse a recuperarne il sentimento e prendesse a muoversi con spregiudicata libertà lungo la china dei secoli, sino a ricongiungersi ai miniatori coloniesi della fine del secolo X, per tanti aspetti neo-carolingi, e finalmente ai grandi artisti moderni dell'Occidente, da Nicolas de Verdun ai maggiori maestri vetrari di Francia, che Nicola Pisano stesso poteva avergli additato.

F. BOLOGNA, *Pittura italiana delle origini*, 1962

[...] in quegli anni, ancor prima delle forme antiquarie, si andavano recuperando le antiche passioni. Gli artisti, come i poeti, già presentivano la ripresa del motivo platonizzante del furore eroico della mania ispirata dalle muse, che legittima ogni originalità ed audacia immaginativa. Gli eroi della *Crocifissione* assisiate si distinguono dagli ammansiti personaggi di Bisanzio perché reagiscono in modo violento ed imprevisto. Il loro comportarsi fa pensare, oltre che a saltuari passi delle cronache storiche, ad una pagina di L. Anneo Seneca, dove l' "Ira" è definita "passione funesta e rabbiosa, giacché mentre tutte le altre presentano un qualche aspetto di tranquillità e di pacatezza, essa invece è tutta concitazione e impeto di risentimento, invasata com'è da un desiderio, per nulla umano, di combattimento, di sangue e di torture, incurante di sé pur di nuocere altrui, pronta a scagliarsi contro le armi stesse e avida persino di una vendetta che è destinata a trascinare con sé il vendicatore". Questa sublime definizione prelude, è vero, ad una condanna dell'ira quale "breve follia" (sulla scorta di Orazio), priva di dignità, immemore dei legami sociali, ostinatamente pertinace nei suoi scopi. Ma in Cimabue, alle soglie, come noi del resto, di un mondo morale nuovo, questa pagina, se l'avesse letta, avrebbe certamente ribadito la convinzione che la rivolta per quanto cieca è meglio di qualsiasi rassegnazione, allorché si tratta di temi in cui la ragione non basta. I suoi eroi hanno, come gli eroi del Seneca morale, "il volto truce e minaccioso, la fronte aggrottata, l'espressione torva, il passo concitato, le mani irrequiete, il colore del viso mutato, i sospiri frequenti". Anche in essi "gli occhi scintillano e dardeggiano, i denti si serrano [...] crocchiano le articolazioni nel torcersi [...] tutto il corpo è agitato e lancia violente, irose minacce". Dietro ogni grande capolavoro che riesce a sopravvivere per secoli e millenni conservando viva la sua suggestione, c'è un altrettanto grandioso *background* morale. Dietro, anzi dentro la *Crocifissione* di Cimabue, se non erriamo, c'è la prima immagine di umanità rivoltata della storia italiana. Rivolta, è vero, in nome di Dio: ma nel nome di Dio si faceva allora la politica, la storia e l'economia.

E. BATTISTI, *Cimabue*, 1963

Nell'atmosfera assisiate galvanizzata dalla lucida predicazione dell'Olivi, Cimabue poté trovare una condizione congeniale alla sua sensibilità complessa di uomo ancora per tanti versi legato ad una cultura medioevale di tipo giuntesco e coppesco, sostanzialmente polarizzata su una problematica mistico-devozionale, e per altri aspetti proteso ad una visione più evoluta che già presente il rinnovamento giottesco. Da un lato, infatti, sentiamo una sorgiva partecipazione alla tematica escatologica medioevale, dall'altro invece, nelle modalità del racconto nitido e icastico, strutturato e in molti brani già modernamente naturalistico, avvertiamo un sentimento di fierezza (anche se sublimata ad un livello eroico) che sottintende una nuova nozione dell'uomo. Anche in questa convergenza di elementi culturali e poetici Cimabue si trova sullo stesso piano dell'Olivi, il quale sa strutturare ed elaborare il suo pensiero ancora visionario ed escatologico in un telaio razionale, che tende a logicizzare e a storicizzare il racconto apocalittico.

A. MONFERINI, *L'Apocalisse di Cimabue*, in "Commentari", 1966

Il colore nell'arte di Cimabue

Elenco delle tavole

Il numero arabo posto fra parentesi quadre dopo il titolo di ciascuna opera si riferisce alla numerazione dei dipinti adottata nel Catalogo delle opere che inizia a p. 84.

TAV. I CROCIFISSO Bologna, chiesa di San Domenico [n. 1]
Assieme (cm. 316×285).

Coppo di Marcovaldo

TAV. II   CROCIFISSO San Gimignano, Pinacoteca Civica [n. 2]
Assieme (cm. 296×247).

TAV. III   CROCIFISSO Arezzo, chiesa di San Domenico [n. 4]
Assieme (cm. 336×267).

TAV. IV CROCIFISSO Arezzo, chiesa di San Domenico [n. 4]
Particolare (cm. 64,5×53).

TAV. V   CROCIFISSO Arezzo, chiesa di San Domenico [n. 4]
Particolare (cm. 75,5×62).

CROCIFISSO Arezzo, chiesa di San Domenico [n. 4]
Particolare (cm. 45×28).

CROCIFISSO Arezzo, chiesa di San Domenico [n. 4]
Particolare (cm. 45×28).

TAV. VIII   TRASFIGURAZIONE   Assisi, Chiesa Superiore di San Francesco (transetto destro)   [n. 41 b]
Particolare.

Cimabue

TAV. IX   MADONNA CON IL BAMBINO, IN TRONO, QUATTRO ANGELI E SAN FRANCESCO Assisi, Chiesa Inferiore di San Francesco (transetto destro) [n. 6]
Assieme (cm. 340×320).

TAV. X   MADONNA CON IL BAMBINO, IN TRONO, QUATTRO ANGELI E SAN FRANCESCO   Assisi, Chiesa Inferiore di San Francesco (transetto destro)   [n. 6]
Particolare (cm. 73×60).

TAV. XI MADONNA CON IL BAMBINO, IN TRONO, QUATTRO ANGELI E SAN FRANCESCO Assisi, Chiesa Inferiore di San Francesco (transetto destro) [n. 6]
Particolare (cm. 52,5×43).

Cimabue

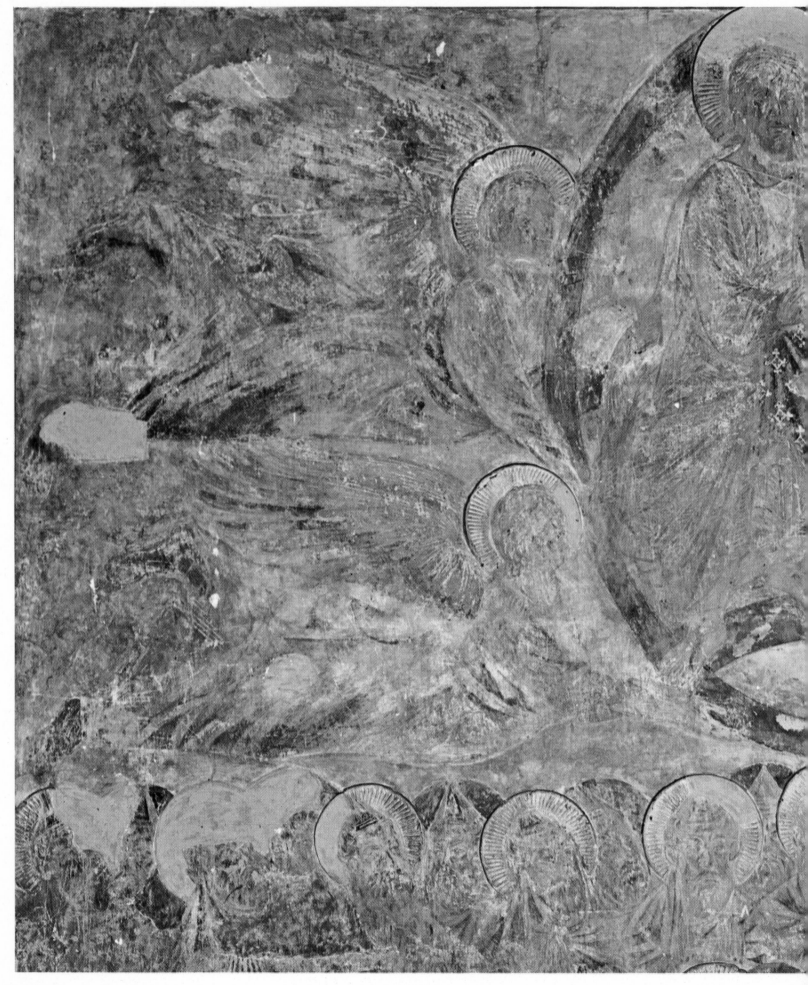

TAV. XII-XIII   ASSUNZIONE DELLA VERGINE Assisi, Chiesa Superiore di San Francesco (abside) [n. 13]
Particolare.

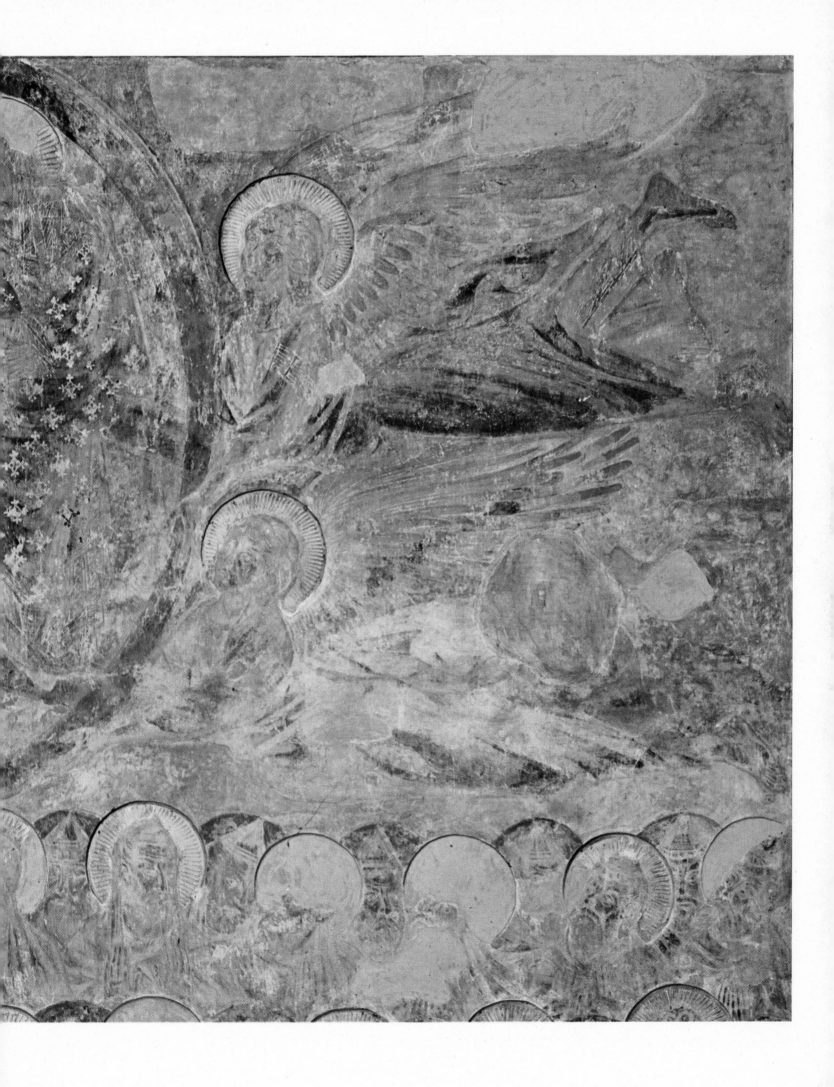

Cimabue

TAV. XV SAN MARCO Assisi, Chiesa Superiore di San Francesco (volta centrale del transetto) [n. 18]
Particolare.

Cimabue

TAV. XVI   SAN MATTEO Assisi, Chiesa Superiore di San Francesco (volta centrale del transetto) [n. 19]
Particolare.

TAV. XVII A e B   SAN GIOVANNI [n. 20]; SAN LUCA [n. 17] Assisi, Chiesa Superiore di San Francesco (volta centrale del transetto)
Particolari.

TAV. XVII C e D   SAN LUCA [n. 17]; SAN MATTEO [n. 19] Assisi, Chiesa Superiore di San Francesco (volta centrale del transetto)
Particolari.

Cimabue (e aiuti)

TAV. XVIII A e B CRISTO IN GLORIA (?) Assisi, Chiesa Superiore di San Francesco (transetto sinistro)
Particolari [n. 28¹ e 28³]

TAV. XVIII C e D ANGELI REGGIVASO Assisi, Chiesa Superiore di San Francesco (volta centrale del transetto)
Particolari [n. 21⁴ e 21⁵].

Cimabue

CROCIFISSIONE Assisi, Chiesa Superiore di San Francesco (transetto sinistro)   [n. 22]
Assieme.

TAV. XX-XXI   CROCIFISSIONE   Assisi, Chiesa Superiore di San Francesco (transetto sinistro)   [n. 22]
Particolare.

TAV. XXII   CROCIFISSIONE Assisi, Chiesa Superiore di San Francesco (transetto sinistro)   [n. 22]
Particolare.

LA VISIONE DEL TRONO E IL LIBRO DEI SETTE SIGILLI Assisi, Chiesa Superiore di San Francesco (transetto sinistro) [n. 23]
Particolare.

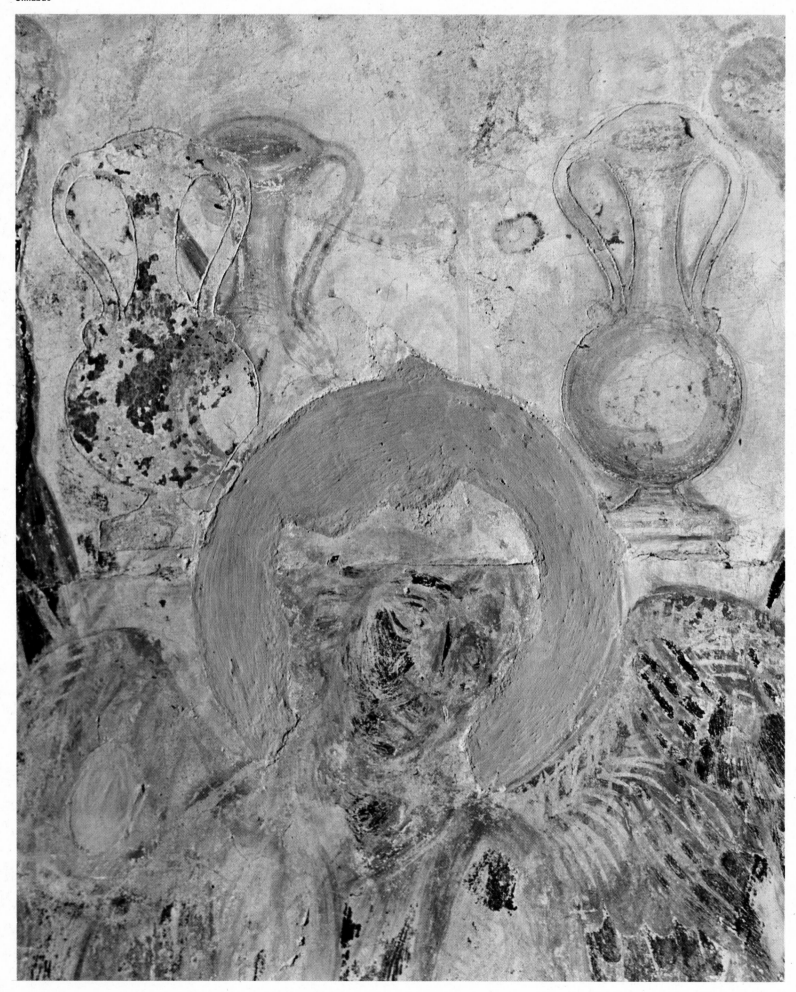

TAV. XXV   LA VISIONE DEL TRONO E IL LIBRO DEI SETTE SIGILLI   Assisi, Chiesa Superiore di San Francesco (transetto sinistro)   [n. 23]
Particolare.

TAV. XXVI   LA VISIONE DEGLI ANGELI AI QUATTRO CANTI DELLA TERRA   Assisi, Chiesa Superiore di San Francesco (transetto sinistro) [n. 24]
Particolare.

TAV. XXVII CRISTO APOCALITTICO Assisi, Chiesa Superiore di San Francesco (transetto sinistro) [n. 25]
Particolare.

TAV. XXVIII   CRISTO APOCALITTICO   Assisi, Chiesa Superiore di San Francesco (transetto sinistro)   [n. 25]
Particolare.

TAV. XXIX LA CADUTA DI BABILONIA Assisi, Chiesa Superiore di San Francesco (transetto sinistro) [n. 26]
Particolare.

Cimabue (e scuola)

Cimabue (e scuola)

TAV. XXXI   SAN PIETRO GUARISCE GLI INFERMI E LIBERA GLI INDEMONIATI Assisi, Chiesa Superiore di San Francesco (transetto destro) [n. 36]
Particolare.

Cimabue (e scuola)

TAV. XXXII   CROCIFISSIONE DI SAN PIETRO   Assisi, Chiesa Superiore di San Francesco (transetto destro) [n. 38]
Assieme.

MADONNA CON IL BAMBINO, IN TRONO, OTTO ANGELI, QUATTRO PROFETI Firenze, Uffizi [n. 42]
Assieme (cm. 385 × 223).

TAV. XXXV   MADONNA CON IL BAMBINO, IN TRONO, OTTO ANGELI, QUATTRO PROFETI Firenze, Uffizi [n. 42]
Particolare (cm. 47,5×39).

TAV. XXXVI MADONNA CON IL BAMBINO, IN TRONO, OTTO ANGELI, QUATTRO PROFETI Firenze, Uffizi [n. 42]
Particolare (cm. 101×118).

Cimabue

CROCIFISSO Firenze, Museo dell'Opera di Santa Croce [n. 43]
Frammento restaurato con la testa di Cristo.

TAV. XXXVIII   CROCIFISSO Firenze, Museo dell'Opera di Santa Croce [n. 43]
Frammento restaurato con la *Vergine*.

CROCIFISSO Firenze, Museo dell'Opera di Santa Croce [n. 43]
Frammento restaurato con *San Giovanni*.

TAV. XL   CROCIFISSO Firenze, Museo dell'Opera di Santa Croce [n. 43]
Ricostruzione fotografica dell'assieme nelle condizioni attuali.

CROCIFISSO Firenze, Museo dell'Opera di Santa Croce [n. 43]
Assieme nelle condizioni precedenti all'alluvione del 1966.

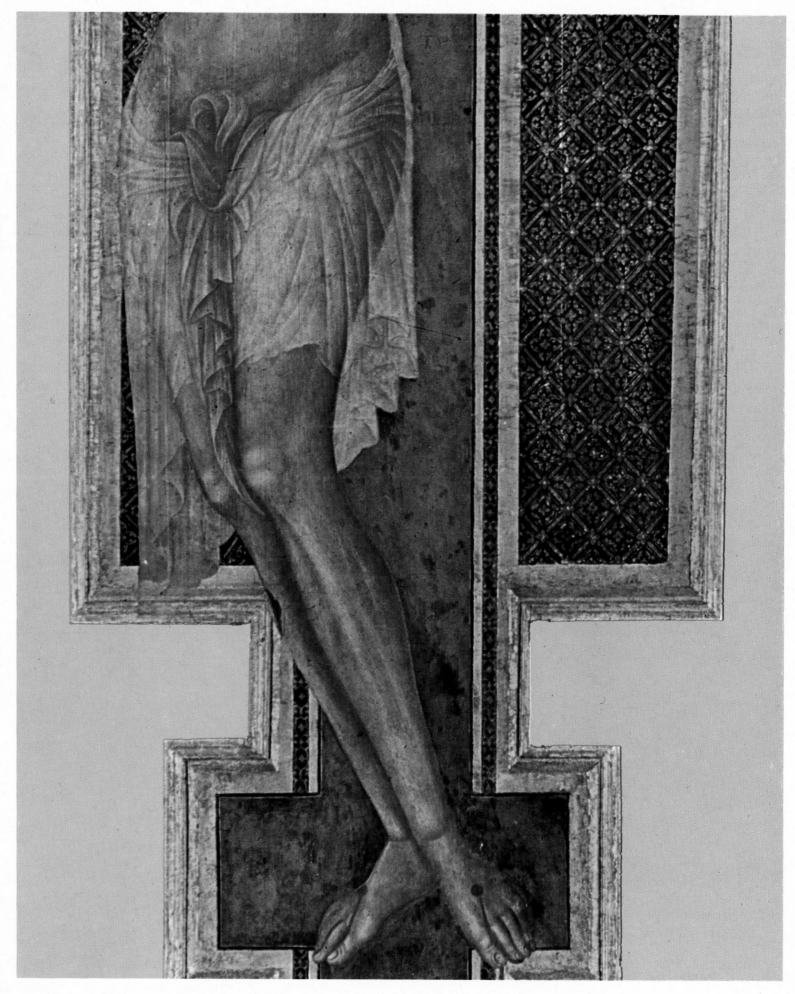

TAV. XLII   CROCIFISSO Firenze, Museo dell'Opera di Santa Croce [n. 43]
Particolare della tav. XLI.

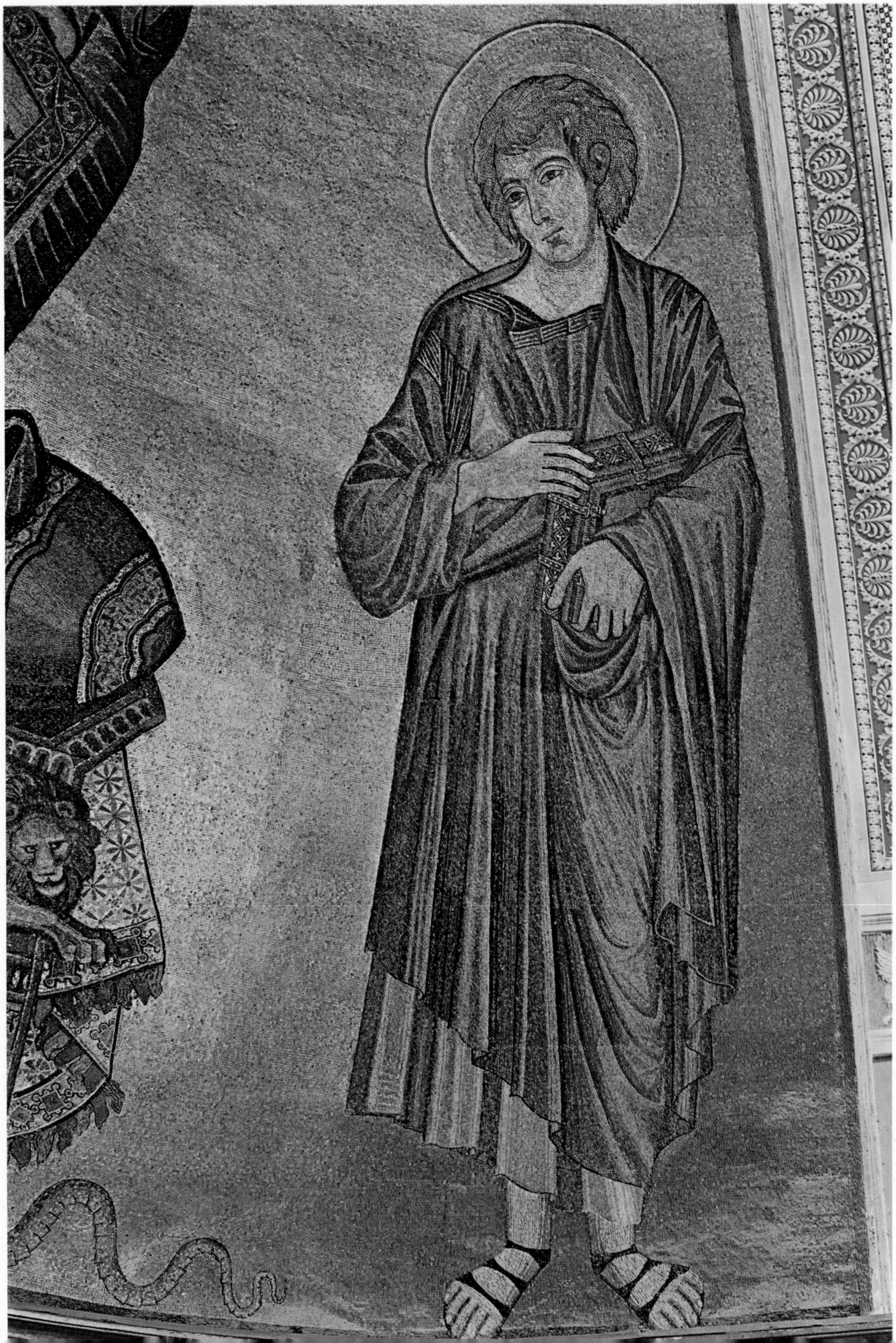

TAV. XLV SAN GIOVANNI EVANGELISTA Pisa, duomo [n. 44]
Particolare.

TAV. XLVIII NATIVITÀ DELLA VERGINE Roma, basilica di Santa Maria in Trastevere [n. 82]
Particolare.

TAV. L   ANNUNCIAZIONE Roma, basilica di Santa Maria in Trastevere [n. 83]
Particolare.

TAV. LI ANNUNCIAZIONE Roma, basilica di Santa Maria in Trastevere [n. 83]
Particolare.

PRESENTAZIONE AL TEMPIO Roma, basilica di Santa Maria in Trastevere [n. 86]
Assieme.

TAV. LIV   PRESENTAZIONE AL TEMPIO   Roma, basilica di Santa Maria in Trastevere   [n. 86]
Particolare.

TAV. LV   ADORAZIONE DEI MAGI Roma, basilica di Santa Maria in Trastevere [n. 85]
Particolare.

NATIVITA DI CRISTO Roma, basilica di Santa Maria in Trastevere [n. 84]
Particolare.

TAV. LVII   GIUDIZIO UNIVERSALE Roma, basilica di Santa Cecilia in Trastevere [n. 89]
Particolare.

TAV. LVIII   GIUDIZIO UNIVERSALE Roma, basilica di Santa Cecilia in Trastevere [n. 89]
Particolare.

TAV. LX   GIUDIZIO UNIVERSALE   Roma, basilica di Santa Cecilia in Trastevere   [n. 89]
Particolare.

TAV. LXI   GIUDIZIO UNIVERSALE   Roma, basilica di Santa Cecilia in Trastevere   [n. 89]
Particolare.

Cavallini

TAV. LXII GIUDIZIO UNIVERSALE Roma, basilica di Santa Cecilia in Trastevere [n. 89]
Particolare.

TAV. LXIII   GIUDIZIO UNIVERSALE   Roma, basilica di Santa Cecilia in Trastevere   [n. 89]
Particolare.

TAV. LXIV   GIUDIZIO UNIVERSALE   Roma, basilica di Santa Cecilia in Trastevere   [n. 89]
Particolare.

Analisi dell'opera pittorica di Cimabue e il momento figurativo pregiottesco

Due ordini di motivi hanno consigliato di affiancare all'opera di Cimabue le testimonianze più significative del momento pregiottesco. Il primo è da cogliere nella complessità delle vicende figurative manifestatesi nella seconda metà del Duecento, un istante prima cioè che si affermi l'arte di Giotto. Perché ove si esuli da quelle vicende e dalla crisi che vi sta al fondo, e quando l'arte bizantina è ormai al tramonto, ma dà ancora con il neoellenismo un sussulto di meravigliosa rinascita, si rischia oltrettutto di non intedere appieno lo stesso straordinario fenomeno cimabuesco.

Alla radice del secondo motivo sta l'opportunità di ridimensionare il rapporto Cimabue-Giotto; un rapporto che viene spesso inteso come molto serrato, di interdipendenza addirittura, e inquadrato per di più entro la particolare e limitata cornice culturale toscana. Ma ove si consideri che la pittura di Cimabue rimane sostanzialmente e tenacemente condizionata dall'arte bizantina, e che pure certi suoi guizzi apportatori di scosse drammatiche ovvero un certo suo pacato realismo di vena classica sono essi stessi emanazione – pur nella individuale superba interpretazione dell'artista – della rinascita bizantina nella sua versione neoellenistica, allora si intende benissimo come tra Cimabue e Giotto non si renda affatto possibile l'instaurarsi di un immediato rapporto di continuità.

L'arte di Giotto, infatti, è quasi del tutto svincolata dalla grande matrice bizantina, benché ve ne permangano echi soprattutto nella composizione e nell'iconografia. Essa appare ormai impregnata di classicismo e più ancora di gotico, ed è perciò in tali direzioni che vanno ricercate le sue principali fonti ispiratrici, non nell'arte bizantina certamente, e perciò non in quella di Cimabue.

L'esperienza romana inoltre e la conoscenza dell'arte di Pietro Cavallini svelano a Giotto il ruolo che può svolgere il classicismo – che non è da lui semplicemente "ricreato" come non lo è da parte del Cavallini – nella rappresentazione icastica e nello stesso tempo essenziale della realtà; e tale esperienza se non sostituisce, certamente completa – e in maniera determinante – quella connessa alla scultura di Nicola Pisano, il cui pure stupendo classicismo resta come bloccato da una certa vena accademica.

Infine, quale sottile filo conduttore fra Cimabue, Cavallini e Giotto s'insinua, assumendo ruolo non secondario in tutta la pittura del Duecento, lo stupefacente fenomeno, anche di impronta classica, del neoellenismo bizantino, vasto movimento che interessa soprattutto l'Europa sud-orientale tra i secoli XII e XIV e si pone come innovatore del vecchio ellenismo, ancora presente nella pittura bizantina ma sempre più impoverito in formule rigide e accademiche.

Nei tre artisti il neoellenismo trova riflesso in modo e in misura diversi. In Cimabue in maniera più vistosa e ampia, con entrambe le componenti, quella aulica e quella provinciale; in Cavallini con una più vibrata espressione dell'immagine, pur nel rispetto dell'equilibrio formale, per cui il classicismo antico, "senza tempo" – quello che ancora leggiamo nella squisita politezza delle sculture di Nicola Pisano –, si attualizza in un dettato nuovo (viene perciò da considerare perlomeno distratta l'opinione del Muratov – il più convinto estensore per altri versi del neoellenismo a tanta pittura eseguita in Italia nel Duecento – che ritiene il Cavallini estraneo a una simile influenza). Nelle opere di Giotto, infine, l'arte neoellenistica appare sì recepita – e le neoellenistiche 'storie' di Isacco ad Assisi, da alcuni riferite a Giotto stesso ne sono una conferma – ma per divenire ormai tanto mutata da affiorare appena.

Una parentesi dev'essere aperta a proposito di Duccio. Nel pittore senese, la componente neoellenistica è fortissima, e si dichiara in un equilibrio perfetto di eleganze formali (di derivazione bizantina) e di attenzione per l'individuale (di derivazione neoellenistica). Ma il languore e il *ductus* raffinatissimo che definiscono le immagini di Duccio fanno sì che esse permangono sempre lontane, pressoché estranee, all'impetuosa tensione umanistica che prepara l'avvento dell'arte di Giotto. L'umana dolcezza delle immagini duccesche resta infatti come un *hortus conclusus*, e non potrebbe mai riflettere quell'umanesimo attivistico riscontrabile invece in opere di qualità magari non alta, e proprio ai tempi di Duccio.

Si è ritenuto utile e chiarificante soffermarsi in questa sede su opere pregiottesche, segnate in modo più o meno evidente da caratteri neoellenici, la cui influenza sull'arte protoumanistica italiana della seconda metà del Duecento, fino a Giotto, appare essenziale: la pala pisana del Maestro di San Martino (n. 76), gli affreschi assisiati raffiguranti la *Cattura di Cristo* (n. 78) e le 'storie' di Isacco (n. 79-80), il *Crocifisso* di San Tommaso dei Cenci (n. 81), oltre, naturalmente, ai precedenti dei *Crocifissi* di Cimabue, quelli di Giunta (n. 1), di Coppo (n. 2) e del Maestro di San Francesco (n. 3). Si è poi reso indipensabile offrire un particolare dell'arte classico-gotica di Nicola Pisano (n. 77) alla quale con diretta connessione si riporta quella di Giotto, e presentare infine un'ampia antologia della pittura del Cavallini (n. 82-91), per il suo determinante ma non sempre vagliato contributo alla formazione del linguaggio giottesco. Si tratta, nel complesso, di esempi che si affiancano tutti, si badi, all'arte di Cimabue, spesso intersecandovisi, ma che sono nello stesso tempo emblematici del 'momento' figurativo pregiottesco.

Va aggiunto che la maggior parte di essi trovano un ben preciso riscontro culturale proprio là dove Cimabue ha lasciato il suo più eloquente messaggio poetico, cioè nel grande centro artistico assisiate.

Oggi si tende infatti a rilevare l'azione svolta dal francescanesimo per il superamento della più anchilosata arte bizantina; azione palesatasi soprattutto con una netta preferenza nei confronti del gotico e dell'arte classica nella sua versione neoellenistica in particolare.

Non fu quindi occasionale coincidenza che nella basilica di Assisi si siano succedute, in una sequenza impressionantemente logica, personalità che concorsero quasi sempre in maniera determinante al movimento rinnovatore che avrà una conclusione e una premessa al tempo stesso del razionalismo umanistico di Giotto: dal Maestro di San Francesco, attivo nella Chiesa Inferiore, anch'egli vistosamente permeato di classicismo neoellenistico, al grande maestro gotico presente nel transetto destro della Chiesa Superiore; da Cimabue, rivoluzionariamente innovatore anche se non perviene a una formale sintesi risolutiva, al classicismo dei romani e di altri maestri legati alla contemporanea cultura neoellenistica. Giotto assiste al grande travaglio, ne recepisce attentissimo i portati culturali, darà alla problematica incalzante l'attesa soluzione.

Convenzioni e abbreviazioni

Allo scopo di rendere immediatamente palesi gli elementi essenziali di ciascuna opera, l'intestazione di ogni 'scheda' del *Catalogo* (a partire da pag. 84) reca — dopo il numero del dipinto (che segue il più attendibile ordine cronologico, e al quale si fa riferimento ogni qualvolta l'opera venga citata nel corso del volume), dopo il titolo e dopo l'eventuale ubicazione — una serie di abbreviazioni, riferite: alla tecnica, al supporto; alle dimensioni (fornite in centimetri: prima l'altezza poi la base); all'eventuale presenza di firma e/o di data; alla cronologia. Tutti gli elementi forniti registrano l'opinione prevalente nella moderna storiografia d'arte: ogni discordanza di rilievo e ogni ulteriore precisazione vengono dichiarate nel testo.

Tecnica

af: affresco
tp: tempera

Supporto

tv: tavola

Dati accessori

d: opera datata
f: opera firmata

Bibliografia essenziale

G. VASARI, *Le vite...*, Firenze 1568[2]
G. B. CAVALCASELLE-J. A. CROWE, *A New History of Painting in Italy from the Second to the Sixteenth Century*, London 1864 (ed. it., Firenze 1875)
H. THODE, *Franz von Assisi und die Anfänge der Kunst der Renaissance in Italien*, Berlin 1885
J. STRZYGOWSKI, *Cimabue und Rom. Funde und Forschungen zur Kunstgeschichte und zur Topographie der Stadt Rom*, Wien 1888
F. WICKHOFF, *Über die Zeit des Guido von Siena*, "MOG" 1889
M. G. ZIMMERMANN, *Giotto und die Kunst Italiens in Mittelalter*, Leipzig 1899
R. LANGTON DOUGLAS, *The Real Cimabue*, "NC" 1903
R. LANGTON DOUGLAS, Edizione commentata di *A New History of Painting in Italy* di G. B. Cavalcaselle-J. A. Crowe, London 1903
A. AUBERT, *Die Malerische Dekoration der S. Francesco Kirche in Assisi. Ein Beitrag zur Losung der Cimabue Frage*, Leipzig 1907
A. VENTURI, *Storia dell'arte italiana*, V, Milano 1907
B. BERENSON, *Florentine Painters of the Renaissance*, London-New York 1909
K. FREY, Edizione commentata delle *Vite* del Vasari, I, München 1911
B. KLEINSCHMIDT, *Die Basilika San Francesco in Assisi*, I, Berlin 1915; II, 1926
E. BENKARD, *Das literarische Porträt des Giovanni Cimabue, ein Beitrag zur Geschichte der Kunstgeschichte*, München 1917
O. SIRÉN, *Toskanische Maler im XIII Jahrhundert*, Berlin 1922
R. VAN MARLE, *The Development of the Italian School of Painting*, The Hague 1923 (ed. it. parziale, Firenze 1932)
G. SOULIER, *Les influences orientales dans la peinture toscane*, Paris 1924
A. CHIAPPELLI, *L'arte del Rinascimento*, Roma 1925
L. VENTURI, *La collezione Gualino*, Torino-Roma 1926
P. TOESCA, *Storia dell'arte italiana: il Medioevo*, I, Torino 1927
E. SANDBERG VAVALA, *La Croce dipinta italiana e l'iconografia della Passione*, Verona 1929
G. SOULIER, *Cimabue, Duccio et les premières écoles de Toscane, à propos de la Madonna Gualino*, Paris 1929
M. SALMI, *I mosaici del "Bel S. Giovanni" e la pittura del secolo XIII a Firenze*, "D" 1930
C. H. WEIGELT, *La pittura senese del Trecento*, Bologna 1930
B. BERENSON, *Italian Pictures of the Renaissance*, Oxford 1932
A. NICHOLSON, *Cimabue. A Critical Study*, Princeton 1932
M. SALMI, *Le origini dell'arte di Giotto*, "RIA" 1934
P. D'ANCONA, *Les primitifs italiens du XI au XIII siècle*, Paris 1935
E. ZOCCA, *Assisi. Catalogo delle cose d'arte e di antichità*, Roma 1936
E. LAVAGNINO, *Storia dell'arte medioevale italiana*, Torino 1936
L. BECHERUCCI, *Il restauro della Madonna dei Servi a Bologna*, "BA" 1937
R. OERTEL, *Giotto*, "ZK" 1937
L. COLETTI, *I primitivi*, I, Bergamo 1941
G. SINIBALDI-G. BRUNETTI, *Pittura toscana del Duecento* (Catalogo della mostra giottesca del 1937), Firenze 1943
R. SALVINI, *Cimabue*, Roma 1946
R. LONGHI, *Giudizio sul Duecento*, "PR" 1948
L. COLETTI, *Gli affreschi della Basilica di Assisi*, Bergamo 1949
E. H. GARRISON, *Italian Romanesque Panels Painting*, Firenze 1949
C. BRANDI, *Duccio*, Firenze 1951
R. SALVINI, *Postilla a Cimabue*, "RIA" 1954
C. L. RAGGHIANTI, *Pittura del Dugento a Firenze*, Firenze 1955
S. SAMEK LUDOVICI, *Cimabue*, Milano 1956
J. WHITE, *The Birth and Rebirth of Pictorial Space*, London 1957
E. CARLI, *Pittura medioevale pisana*, Milano 1958
L. MARCUCCI, *I dipinti toscani del secolo XIII* (Catalogo delle Gallerie Nazionali di Firenze), Roma 1958
R. SALVINI, *Cimabue*, "EUA", III, 1958
M. SALMI, *Cimabue e Jacopone*, in *Jacopone e il suo tempo* (Convegno del centro di Studi sulla spiritualità medioevale, I), Todi 1959
H. HAGER, *Die Anfänge des Altarbildes in der Toskana*, München 1962
F. BOLOGNA, *La pittura italiana dalle origini*, Roma-Dresda 1962
E. BATTISTI, *Cimabue*, Milano 1963; ed. inglese, University Park-London 1967 (con esauriente bibliografia)
F. BOLOGNA, *Cimabue*, Milano 1965
A. MONFERINI, *L'Apocalisse di Cimabue*, "C" 1966
J. WHITE, *Art and Architecture*, Harmondsworth 1966
E. BATTISTI, *Il Crocifisso di Cimabue in Santa Croce*, Milano 1967
I. HUECK, *Der Maler der Apostelscenen im Atrium von Alt-St. Peter*, "MKF" 1969
E. NYHLOM, *La Madonna di Santa Trinita di Cimabue*, "AR" 1969
C. VOLPE, *La formazione di Giotto nella cultura di Assisi*, in *Giotto e i giotteschi in Assisi*, Roma 1969

Elenco delle abbreviazioni

A: "L'arte"
AA: "Art in America"
AB: "The Art Bulletin"
AN: "Art News"
AK: "Archiv für Kunstgeschichte"
AR: "Analecta romana instituti danici"
BA: "Bollettino d'arte"
BM: "The Burlington Magazine"
BU: "Bollettino della Deputazione di Storia Patria per l'Umbria"
C: "Commentari"
CA: "Critica d'arte"
D: "Dedalo"
E: "Emporium"

EUA: "Enciclopedia universale dell'arte"
HK: "Handbuch der Kunstwissenschaft"
II: "Illustrazione Italiana"
JWC: "Journal of the Warburg and Courtauld Institute"
KG: "Kunstgeschichtliche Gesellschaft"
MF: "Miscellanea francescana"
MKF: "Mitteilungen des Kunsthistorischen Institutes in Florenz"
MOG: "Mitteilungen des Instituts für österreichische Geschichtsforschung"
MR: "Monthly Review"
NC: "Nineteenth Century"

P: "Pantheon"
PA: "Paragone"
PJ: "Preussische Jahrbücher"
PR: "Proporzioni"
RAA: "Rassegna d'arte"
RAS: "Rassegna d'arte senese"
REA: "Revue de l'Art"
RFK: Repertorium für Kunstwissenschaft"
RIA: "Rivista d'arte"
SA: "SeleArte"
SDA: "Storia dell'arte"
TA: "The Arts"
TB: "Künstler Lexikon" di U. Thieme-F. Becker
V: "Il Vasari"
ZK: "Zeitschrift für Kunstgeschichte"

Documentazione
sull'uomo e l'artista

Le date documentarie relative a Cimabue sono pochissime, e precisamente quelle che si riferiscono al soggiorno romano e a quello pisano; le altre indicazioni cronologiche si riferiscono alle opere assegnate a Cimabue dall'autore e alla datazione da lui proposta (per quanto concerne le controversie critiche sulla questione cronologica, si rimanda alle singole 'schede' del *Catalogo*).

1240-45 c. Bencivieni, o Cenni, di Pepo detto Cimabue nasce a Firenze. L'anno non è precisabile. Il Vasari indica il 1240; se si considera, infatti, che nel 1272 Cimabue è già a Roma, ove risulta quale testimone in un atto pubblico di notevole importanza, è verosimile supporre che l'artista non fosse più, a quella data, molto giovane e che fosse anzi, secondo l'indicazione vasariana, intorno ai trent'anni. Il luogo di nascita viene attestato nel documento del 1272, dove il pittore

Supposte effigi di Cimabue: (qui sopra) secondo l'incisione di Jourdy (in Chabret, Galerie des peintres, 1826), (sotto) nella raffigurazione di fantasia di Devéria (in Legouvé [ecc.], Les hommes célèbres de l'Italie, 1845), che lo presenta come 'maestro' del piccolo Giotto, (in basso a destra) variamente identificata in un personaggio della grande Crocifissione *(Catalogo, n. 22).*

è indicato come "Cimabove pictore de Florentia", e inoltre in quello pisano del 1° novembre 1301 dove è indicato come "Magister Cenni dictus Cumabu pictor condam Pepi de Florentia". Riguardo al nome Giovanni, esso non è citato nei documenti, ma viene soltanto riferito dal Villani ("Johannes cui cognomento Cimabue nomen fuit") agli inizi del '400, e quindi ripetuto dall'Anonimo Magliabechiano (1537-42 c.) e dal Vasari.

1268-71 c. Esecuzione del *Crocifisso* per la chiesa di San Domenico ad Arezzo (*Catalogo*, n. 4), poco prima o quasi contemporaneamente all'intervento nel battistero di Firenze.

1270-72 c. Cimabue partecipa alla decorazione musiva del battistero di Firenze (*Catalogo*, n. 5). È presumibile che in precedenza abbia soggiornato a Pisa, venendo a contatto con l'arte di Nicola Pisano e di Giunta, e con quella neoellenistica.

1272, 8 GIUGNO. In un documento conservato nell'archivio di Santa Maria Maggiore a Roma, Cimabue compare in questa città come testimone in occasione del patronato assunto dal cardinale Ottoboni Fieschi, dietro espresso mandato di papa Gregorio X, di un monastero delle monache di san Damiano, convertite, tramite quella medesima carta, all'ordine di sant'Agostino.

1278-80 c. Dopo il soggiorno romano, che gli consente di estendere la conoscenza dell'arte classica, Cimabue esegue la Maestà nella Chiesa Inferiore di San Francesco ad Assisi (*Catalogo*, n. 6).

1280-83 c. Esecuzione degli affreschi nella Chiesa Superiore di San Francesco ad Assisi (*Catalogo*, n. 7-40). È probabile che gli affreschi dell'abside, con le 'storie' mariane (n. 7-14), siano stati eseguiti qualche tempo prima.

1285-86 c. Cimabue esegue, per incarico dei monaci di Vallombrosa, la grande Maestà per l'altar maggiore della chiesa di Santa Trinita (*Catalogo*, n. 42).

1287-88 c. Esecuzione del *Crocifisso* di Santa Croce (*Catalogo*, n. 43).

1300. Secondo il Vasari, è l'anno in cui morì Cimabue. Ciò viene smentito però dai documenti del 1301 e del 1302.

1301-02. Alcuni documenti, che vanno dal 2 settembre 1301 al 19 febbraio 1302, riferiscono di pagamenti effettuati a Cimabue per i lavori nel mosaico absidale della cattedrale di Pisa (si veda *Catalogo*, n. 44). Nel documento del 19 febbraio 1302 si parla espressamente della figura di *San Giovanni* e si specifica inoltre che il pagamento viene effettuato a Cimabue e a un suo "famulo".

1301. È attestato in due documenti, del 1° e del 5 novembre, l'incarico a Cimabue per l'esecuzione, insieme a Giovanni detto Nuchulus figlio di Apparecchiato da Lucca, di una grande Maestà con storie sacre, apostoli, angeli e altre figure, per la chiesa dell'Ospedale di Santa Chiara a Pisa. L'opera è perduta, o forse non venne mai eseguita.

1302. In un documento fiorentino, datato 19 marzo 1302 (citato dal Davidsohn, *Geschichte von Florenz*, 1927, ed it. 1929), si parla espressamente degli "heredes Cienni pictoris" come confinanti di una casa "in populo canonice Fesulane in contrata de S. Mauritio". A quella data, dunque, Cimabue risulterebbe già morto da poco tempo — fra il novembre 1301 e il marzo 1302 — e quasi certamente a Pisa, mentre attendeva ai lavori che gli erano stati commissionati in quella città. Il 4 luglio, al camerlengo della Società dei Piovuti a Pisa, vengono consegnati dei guanti di ferro, una tovaglia e altri oggetti appartenuti a "Cimabue pictor". Si tratta, come si vede, di poche cose per uso personale che il rettore della società, in qualità di magistrato, riceve in consegna a motivo, certamente, dell'avvenuta morte del maestro.

Catalogo delle opere

GIUNTA PISANO

Insieme a Coppo e al Maestro di San Francesco, svolge un ruolo notevole nella formazione dell'arte cimabuesca. Fu attivo in Toscana e in Umbria, e probabilmente anche a Roma secondo un'ipotesi avanzata nel 1958 dal Verani sulla base di un documento in cui tra l'altro si accenna a un "Iohanne Pisano famulus Magistri Iuncte" operoso a Roma; e infatti, la particolare qualifica di "famulo", quindi di garzone o aiuto, farebbe supporre anche la presenza del maestro a Roma. Tale documento è del 26 maggio 1239. In un altro di poco precedente, per l'esattezza del 4 maggio dello stesso anno, appare come testimone il figlio di Giunta, Leonardo; per poter testimoniare, questi doveva aver raggiunto, osserva il Verani, almeno la maggiore età di 25 anni. Egli doveva essere nato, quindi, tra il 1210 e il 1214. In base a tale considerazione, la data di nascita di Giunta, non dovrebbe essere perciò anticipata oltre il 1190-1200. Il nome di Giunta è possibile leggerlo altre sei volte:

in un documento del 30 gennaio 1229, dove però il maestro non figura come pittore, ma semplicemente come "Iuncta quondam Guidocti da Colle"; nel Crocifisso non datato della basilica di Santa Maria degli Angeli ad Assisi, dove una scritta, mancante di alcune lettere, va così letta: "Iunta pisanus Capitini me fecit"; nel perduto Crocifisso detto di frate Elia (commissionato a Giunta dal frate, che dal maestro venne raffigurato ai piedi della croce), dove si leggeva la scritta: "Frater Elias fieri me fecit / Iesu Christe pie / miserere precantis Elias / Iunta Pisanus me pinxit A.D. MCCXXXVI ind. 9"; in un documento del 28 gennaio 1241; in un documento del 28 agosto 1254 dove il maestro viene chiamato "Iuncta Capitinus pictor"; nel Crocifisso, infine, di Bologna, nella scritta qui riportata nella relativa scheda (n. 1).

Punti di riferimento essenziali dell'attività del maestro — la cui "linea di evoluzione", come esattamente rilevò la Sinibaldi (1943), "va dalla rappresentazione a un tempo severa e violenta del sentimento, che è nella croce assisiate, alla catarsi del dipinto di Bologna" —, sono da considerare: il Crocifisso di Santa Maria degli Angeli, dove forti influenze bizantine si affiancano a qualche spunto locale, anche vagamente romanico. Il Crocifisso di San Ranierino, a Pisa, stilisticamente abbastanza distante dal precedente, certo per maggiore adesione a modi neoellenistico-bizantini. Il perduto Crocifisso di frate Elia, che se rappresentò — come si suppone — il prototipo per il Crocifisso di Perugia del Maestro di San Francesco (n. 3), mostrò certo il più estenuante abbandono che sia mai stato di vedere durante il Duecento in un corpo di Cristo patiens. Infine, il Crocifisso di Bologna qui riprodotto, che può essere considerato come la più matura ed alta espressione dell'arte di Giunta, il quale — osserva il Toesca —

fu "tra i più decisi iniziatori di quella maniera bizantineggiante che alla fine del secolo ebbe in Cimabue un grande maestro".

1. CROCIFISSO. Bologna, chiesa di San Domenico

tp/tv 316×285

Reca in basso la scritta: "CVIVS DOCTA MANVS ME PINXIT IVNTA PISANVS". Al termine dei bracci della croce sono raffigurati, a sinistra, la Madonna, a destra, San Giovanni. Il restauro ultimato da Enrico Podio nel 1935 ha asportato le ridipinture a olio che ricoprivano quasi interamente il dipinto; il colore è caduto in alcune zone, soprattutto nella parte inferiore del corpo di Cristo; mancano il tondo in alto e pochi tratti della croce nella parte inferiore. Dopo il restauro, venne pubblicato e studiato dal Brandi ("A" 1936) che lo data al 1250 c., cioè a un periodo tardo dell'attività dell'artista; secondo il Carli (1958), le due figure laterali (la Madonna e san Giovanni) sono "probabilmente di un aiuto". In precedenza, le condizioni dell'opera non erano tali da consentire un esatto giudizio critico: il Van Marle (1923) la considerava una "croce francescana"; il Toesca (1927) l'assegnava a un maestro fiorentino; la Vavalà (1929), seguita dal Supino (L'arte nelle chiese di Bologna, 1932), ne intuiva i caratteri non bolognesi (per un più dettagliato excursus critico, si veda il Catalogo della mostra giottesca, 1943, n. 16). È il capolavoro di Giunta, il precedente più affine al Crocifisso aretino di Cimabue (n. 4), l'opera in cui l'arte del pisano meglio rivela quelle specifiche qualità limpidamente definite già da L. Venturi ("A" 1928) allorché sollecitava l'esatto intendimento del "valore artistico, assoluto ed eterno, di un segno di Giunta, che è reale, perché tormentato, che non è simbolico, perché non dipende dall'astratta immaginazione, ma dalla fantasia creatrice, che non è convenzionale, perché è vissuto e sofferto". E in queste stesse parole è forse contenuto anche il nocciolo della problematica che investe i rapporti dell'arte bizantina neoellenistica con i primordi dell'arte italiana. In Giunta, infatti, si evidenzia l'innesto in terra italiana delle forme della rinascita bizantina, e il convenzionale simbolismo tipico dell'arte orientale si traduce in semantica significativamente diversa per una più sentita istanza di umana espressione. I Crocifissi di Giunta (fondamentali quelli di Santa Maria degli Angeli ad Assisi, di San Ranierino a Pisa, e questo di Bologna), riprendono la formula bizantina del Cristo patiens, cioè del Cristo colto nel momento finale, più angoscioso e irreversibile, del suo dramma. Inadatto sembra quindi il rapporto, da altri proposto, con Berlinghiero, il cui Crocifisso vivo, triumphans, della Pinacoteca di Lucca, di impronta eminentemente romanica, non s'imparenta affatto con quelli di Giunta, ove si escludano certi legami, di generica impronta bizantina, tra il perizoma del Cristo di Lucca,

ad esempio, e quello di Santa Maria degli Angeli che è però il più arcaico dei Crocifissi di Giunta. Sembra invece più convincente la tesi di un'influenza esercitata dal Crocifisso n. 20 del Museo di Pisa, capolavoro dell'arte bizantina fiorita in Toscana, con echi della miniatura comnena secondo il Lazarev ("BM" 1936), che lo data tra il 1225 e il 1250, di quella salisburghese secondo l'Arslan ("RIA" 1936). Appare evidente in ogni caso quanto la poetica e anche la tematica di Giunta siano prossime, seppur non ne dipendano, a tale Crocifisso pisano; per l'abbandono del capo anzitutto, che "ha una tristezza immensa" (Vavalà), che impercettibilmente si trasmette al resto del corpo attenuando così la rigidità romanica, e inoltre per la resa dei capelli, divisi in ciocche serpentine (che nel Crocifisso di Berlinghiero si riducevano a sole quattro ciocche attorcigliate come corde). Il senso lirico e di sofferenza, più pacato nel Crocifisso n. 20, più vibrato in quello di Giunta, è tipico del Cristo patiens che proprio in questo momento to trova affermazione in Italia, in concomitanza — giova avvertire, anche ai fini specifici del nostro tema — con la nuova concezione francescana: "Il Cristo vivo è rappresentato immune, come un Dio, dalle sofferenze del suo corpo martirizzato. Egli si regge diritto ed impassibile sull'istrumento del suo supplizio, l'albero della croce, come se non fosse veramente attaccato con i chiodi al legno. L'immagine è inverosimile, artificiosa, mistica, soprannaturale, degna emanazione dell'età primitiva di fede e di arte. A questa figurazione succede l'apoteosi del Dio Uomo, moribondo, sofferente, cadente, disfatto, il Cristo predicato dal Poverello di Assisi, il Cristo concepito nell'amore e nella devozione dei fedeli, invece di quello rappresentato dal dogma. Nella rappresentazione artistica del primo non si

trovano difficoltà materiali; ma col secondo nascono i problemi, non concettuali ma puramente meccanici, che toccano il modo di raffigurare questo Crocifisso, e struggendosi nel dolore o abbandono alla morte, teso o rilasciato. Il Cristo vivo ammette un solo trattamento, il Cristo morto parecchi" (Vavalà). Va ancora precisato che tra il primo Crocifisso di Giunta (Santa Maria degli Angeli) e quello di Bologna, la differenza è notevolissima. Il primo è ancora pervaso da una schematica rigidità che può essere egualmente essere definita romanica o bizantina, il secondo, tutto diverso, lascia intendere un percorso in senso neoellenistico ed espressionistico che presuppone le esperienze del Crocifisso di San Ranierino, nel quale si è già operato un radicale mutamento, e inoltre l'esperienza del perduto Crocifisso di frate Elia (1236), già nella basilica di San Francesco ad Assisi, in cui l'espressionismo di Giunta dovette conseguire il suo stadio culminante, se fece da testo, come fondamentalmente si suppone, al Maestro di San Francesco (si veda al n. 3).

COPPO DI MARCOVALDO

Fiorentino; nato nel popolo di San Lorenzo ("Coppus dipintore populi Sancti Laurentii") intorno al 1225-30. Risulta infatti operoso a Pistoia, insieme al già noto figlio Salerno, nel 1274; e a quella data egli doveva essere intorno ai cinquant'anni. Nel 1264 partecipò alla battaglia di Montaperti, quando venne fatto prigioniero (come risulta da un elenco dei soldati catturati) e condotto a Siena. Qui si fermò per circa nove anni e durante questo suo forzato soggiorno dipinse la Madonna detta del Bordone (dal nome della cappella dove venne situata) nella chiesa di Santa Maria dei Servi; opera fir-

1 [Tav. I]

2 [Tav. II]

mata e datata, come risulta da una antica descrizione della città di Siena (1625). La scritta ("MCCLXI / Coppvs de Florentia me pinxit") scomparve quando la tavola venne sottoposta a un ridimensionamento. Fu verso il 1264 che con ogni probabilità Coppo dipinse il Crocifisso qui riprodotto (n. 2), che gli viene attribuito con pressoché unanime consenso. Nel 1265, come è documentato, egli è a Pistoia dove esegue nella cappella di Sant'Jacopo in San Zenone un ciclo di affreschi oggi scomparsi; e sempre a Pistoia, nel 1274, gli viene affidato l'incarico di eseguire, insieme al figlio Salerno (che, oltretutto, con il compenso riconosciutogli, avrebbe avuto la possibilità di lasciare la prigione dove era stato rinchiuso per aver contratto debiti), due Crocifissi, una Madonna, un San Giovanni e un San Michele. Di queste opere rimane soltanto il Crocifisso oggi generalmente riconosciuto come opera del maestro in collaborazione con il figlio. Dalla maggior parte dei critici viene attribuita inoltre a Coppo anche la Madonna in trono della chiesa di Santa Maria dei Servi a Orvieto; mentre viene ritenuto assai probabile un suo intervento nei mosaici della cupola del Battistero di Firenze.

Secondo alcuni studiosi, Coppo è da considerare pittore eminentemente bizantino; secondo altri, invece, lui rivela un realismo intenso, legato soprattutto alla tradizione romanica. Senza dubbio, l'una e l'altra corrente trovano in lui terreno adatto per manifestarsi; così come non vanno sottaciute alcune componenti neoellenistiche che con evidenza si manifestano nella Croce di San Gimignano qui riprodotta e in particolar modo nelle 'storie' laterali dove la Pietà soprattutto presenta strette analogie, come è stato rilevato, con l'analoga scena affrescata nel convento di Nerezi in Macedonia.

2. CROCIFISSO. San Gimignano, Pinacoteca Civica

tp/tv 296×247

La cimasa, in cui è raffigurata l'Ascensione, culmina in un tondo con Cristo benedicente; al termine dei bracci della croce sono, a sinistra, la Madonna con san Giovanni e le Pie donne; nel tabellone, a sinistra, la Cattura di Cristo, la Flagellazione e la Preparazione della croce, a destra, Cristo davanti ai giudici, Cristo deriso e la Deposizione. Eseguito dopo il 1261. Restaurato nei primi decenni del secolo. L'importanza e le qualità dell'opera vennero poste in risalto dal Van Marle (1923) che per primo ne rilevò i caratteri romanici, tuttavia addolciti da echi bizantini, avvertendo nello stesso tempo influenze di Giunta. Il Toesca (1927), l'assegna a Coppo indicandolo come l'artista più vicino a Cimabue per senso drammatico e ritiene derivate dall'arte bizantina le qualità cromatiche. La Vavalà (1929) accoglie con riserva l'attribuzione a Coppo, ma non vi riconosce alcun elemento interpretabile come un preludio a Cimabue, mentre ne avverte nel Crocifisso del duomo di Pistoia (opera databile al 1274 e attribuita ora a Coppo e al figlio di lui Salerno, ora al solo Salerno), "intermedio tra il tipo giuntesco — o meglio tra la Croce di Coppo al Museo di San Gimiliano che è una variazione del tipo giuntesco — e il tipo di Cimabue". L'Offner ("BM" 1933) giudica la Croce di San Gimignano come l'espressione fiorentina più significativa delle esperienze pittoriche precimabuesche. Il D'Ancona (1935), nel cogliere il profondo realismo, ne rileva anche i forti caratteri bizantini. Il Coletti ("BA" 1937), vi ravvisa un precedente di varie esperienze assisiati e istituisce analogie fra la Cattura di Cristo dipinta nel tabellone e l'affresco assisiate di eguale soggetto (n. 78); analogie, è da precisare, che risultano assai vaghe, e che possono instaurarsi, eventualmente, soltanto per qualche dettaglio compositivo. Per la Sinibaldi (Catalogo della mostra giottesca, 1943, n. 57, cui si rimanda per la completa vicenda critica) i caratteri bizantini della Croce sono preminenti, anche se ciò "non impedisce all'artista di dare a tutto un carattere originale". Il Longhi (1948), non vi avverte influenze giuntesche, bensì preferenze "per un determinato tipo di provincia orientale". Secondo il Bologna (1962), l'arte di Coppo è indispensabile premessa al Crocifisso aretino di Cimabue (n. 4). Per il Battisti (1963) "se si paragona il particolare di un volto di Giunta con quello del Crocifisso di San Gimignano di Coppo di Marcovaldo, si ha un sentore, nel secondo, di uno straordinario approfondimento morale". L'arte di Coppo, pur essendo agganciata alla maniera bizantina, sia a quella più stantìa e tradizionale sia a quella, rinnovata, del neoellenismo più marcatamente espressionistico, risente fortemente della pittura romanica soprattutto lucchese. In Coppo si verifica, per la prima volta in maniera così dichiarata, l'accostamento tra arte bizantina e romanica; il risultato è pressoché di rottura anche se le diverse componenti non vengono alla fine amalgamate perfettamente in una vera e propria novità di linguaggio. Perciò, più che il dramma emanante dal volto del Cristo, Cimabue, nel guardare a questo angosciante Crocifisso, apprezzerà soprattutto il risultato di sintesi, seppure inficiato da eclettismo, che Coppo tenta di attuare. Nelle formule schematiche da Coppo magistralmente padroneggiate sul piano tecnico, Cimabue innerverà tuttavia la carica, ben più sostanziale, di un'istanza poetica già protoumanistica.

MAESTRO DI SAN FRANCESCO

Di questo pittore non conosciamo il vero nome e non possediamo alcuna notizia della sua vita. Fu operoso in Umbria, ma c'è chi lo ritiene di origine pisana. Il nome con cui viene designato gli fu dato dal Thode, che gli attribuì la tavola conservata in Assisi, in Santa Maria degli Angeli, raffigurante appunto San Francesco tra due angeli, tavola che costituisce ovviamente il punto di riferimento basilare, anche se non il più importante, per l'esame stilistico delle opere che gli sono assegnate. Tra queste, vengono a lui attribuiti, pressoché unanimemente, il Crocifisso qui riprodotto (n. 3), che è datato 1272, e la magnifica decorazione a fresco (raffigurante la Passione di Cristo e la leggenda di san Francesco) eseguita sulla navata della Chiesa Inferiore di San Francesco ad Assisi, molto rovinata, ma recentemente sottoposta a un accurato restauro da parte dell'Istituto Centrale del Restauro di Roma.

Il Maestro di San Francesco è molto vicino a Giunta (alla cui bottega poté formarsi), e in particolare alla finezza compo-

Particolare della testa di Nicodemo nella Discesa dalla croce del Maestro di San Francesco (Assisi, Chiesa Inferiore di San Francesco), dove risultano evidenti i legami con l'arte classica, egualmente riscontrabili nell'arte di Cimabue (si veda anche al n. 4).

sitiva di quest'ultimo, che però egli tende a esasperare con forzature espressionistiche che a volte risultano addirittura teatrali. Nello stesso tempo, vi si avverte qualche residuo coppesco, e inoltre un preciso interesse per l'arte antica assimilata sia direttamente sia attraverso il classicismo neoellenistico. Queste ultime componenti non lasceranno indifferente Cimabue, e contribuiranno inoltre a fargli assegnare "un alto posto nell'evoluzione della pittura pregiottesca" (Van Marle).

3. CROCIFISSO. Perugia, Galleria Nazionale dell'Umbria

tp/tv 410×328 d 1272

In basso reca l'iscrizione: "ANNO DOMINI MCCLXXII TEMPORE GREGORI P.P.X.". Nella cimasa è l'Ascensione; al termine dei bracci della croce, a sinistra, la Vergine, a destra, San Giovanni; ai piedi del Cristo, San Francesco. Ritenuto dal Mariotti (Lettere pittoriche perugine, 1788) di Margaritone d'Arezzo, e di Cimabue dal Rosini (Storia della pittura italiana, 1839); il Thode per primo (1885) propose il riferimento (poi generalmente accolto dalla critica, se ne veda il resoconto dettagliato nel Catalogo della mostra giottesca, 1943, n. 42) al Maestro di San Francesco. Evidenti le derivazioni da Coppo e, soprattutto, da Giunta. A quest'ultimo risalgono il perizoma e la curva accentuata del corpo, qui però ancora più marcata, quale sarebbe stata ideata dal maestro pisano non per il Crocifisso di Bologna bensì, in un estremo slancio espressionistico, per quello, perduto, di Frate Elia (si veda al n. 1): tesi, peraltro convincente, sostenuta dalla Vavalà (1929), dal Brandi ("A" 1936) e dal Salmi ("E" 1937). Nella testa del Cristo si rileva invece l'influsso del Crocifisso di San Gimignano di Coppo (n. 2): nella massa fitta e spumosa della barba, nell'acconciatura gonfia dei capelli e nelle ciocche. I segni e le fasce scure del volto appaiono meno duri e ferrigni, e la posizione del capo diviene più abbandonata, anche se ancora si avverte un residuo della tetra angoscia coppesca. Verosimilmente fu questo volto, da poco dipinto, a colpire maggiormente Cimabue allorché pose mano al Crocifisso di Arezzo (n. 4): il sofisticato estetismo di Giunta o la deformazione esasperata di Coppo, giungono, per questo tramite, come filtrati, quasi un'eco che si va affievolendo. E se il Crocifisso di Frate Elia era davvero assai simile a questo di Perugia, allora il merito di avere ispirato Cimabue va parimenti suddiviso tra l'artista umbro e quello pisano. La Vavalà esattamente osserva che "senza il bizantinismo l'arte di questo maestro [di San Francesco] non si spiega". E occorre aggiungere che si tratta ormai di un bizantinismo diverso sia da quello di Giunta sia da quello di Coppo, di un bizantinismo cioè che si carica di neoellenismo in un momento in cui questa corrente esercita una fortissima suggestione sì che lo stesso Cimabue ne resta profondamente influenzato.

3

4 [Tav. III-VII]

Elenco cronologico e iconografico di tutti i dipinti di Cimabue o a lui attribuiti

4. CROCIFISSO. Arezzo, chiesa di San Domenico

tp/tv 336×267 1268-71 c.

Nel tondo in alto è raffigurato *Cristo benedicente*, opera di un aiuto; al termine dei due bracci della croce, a sinistra, la *Madonna*, a destra, *San Giovanni*. Restaurato da Domenico Fiscali verso il 1917. Non risulta citato dalle fonti, ma soltanto dalla storiografia moderna a partire dal 1875 quando il Cavalcaselle lo attribuì a Margaritone, seguito da Langton Douglas (1903). Successivamente Sirén (1922) lo attribuì a Coppo, e così Vitzthum e Volbach ("HK" 1924) che lo considerarono una delle opere più significative sotto l'ascendente di Giunta Pisano. A. Venturi (1907) ne intuì il carattere cimabuesco, e il Toesca (1927) l'attribuì senz'altro al maestro; tale attribuzione è stata poi generalmente accolta, a esclusione del Van Marle (1923), che pensò a un anonimo bizantineggiante, e dell'Oertel ("ZK" 1937), che ritenne l'opera di scuola. Il Garrison (1949) vi ravvisò la bottega o la scuola di Coppo con la partecipazione di Cimabue giovane. Discordi i pareri sulla datazione, per la quale soccorrono soltanto considerazioni stilistiche; infatti, non esistono documenti precisi nemmeno riguardo alla costruzione della chiesa. Le puntuali ricerche del Battisti (1963) hanno peraltro fornito alcune precisazioni: il convento dei domenicani (giunti in Arezzo nel 1238) risulta fondato nel 1242 e destinato inizialmente a ospitare una piccolissima comunità (dodici frati e un maestro); successivamente, nel 1262, a questa si aggiunse una confraternita di Santa Maria della Misericordia, costituita da laici. Non è noto in quale anno ebbe luogo l'ampliamento della chiesa, verosimilmente deciso dalla Santa Sede romana, ma a questo proposito il Battisti osserva ancora come il maggiore appoggio all'ordine dei domenicani sia stato dato da Clemente IV (1265-68) e da Gregorio X (1271-76). Tali considerazioni indurrebbero quindi a precisare il riferimento cronologico al 1265-76; è però alquanto tener presente che il *Crocifisso* poté essere commissionato a Cimabue per il primitivo convento dei domenicani e poi trasportato nella chiesa, successivamente costruita. D'altra parte una datazione verso la fine del settimo decennio e i primi dell'ottavo sembra la più plausibile, ove si pensi ad alcuni legami con Coppo e soprattutto con Giunta (anche attraverso il Maestro di San Francesco). È certo che il *Crocifisso*, pur persistenti arcaismi, meno palesi o addirittura superati in altri dipinti di Cimabue, si pone senz'altro fra le prime

opere a noi note, anche se il linguaggio già innovatore dichiara la personalità altissima del maestro. Il legame con Giunta è particolarmente evidente nel corpo di Cristo, nel panneggio e nella decorazione della croce, tanto che potrebbe far pensare a una pura e semplice imitazione se il Cristo non insistesse in una flessione di sapore ellenistico, che in una simbiosi di realismo e intellettualismo esalta, con rattenuto spasimo, l'umana presenza e la concettuale significazione dell'immagine. Non è poco, ove si pensi alle norme rigide, convalidate da una lunga tradizione figurativa, che regolavano severamente il delicato soggetto iconografico. Il Battisti (1963), ne colse in modo esauriente la differenza poetica rispetto al Cristo di Giunta: "con le stesse regole di Giunta, Cimabue giunge ad un risultato diametralmente opposto, dinamico invece che statico, espressivo invece che contemplativo", e rileva inoltre la rigorosa struttura geometrica della composizione dovuta soprattutto, a suo avviso, alla conoscenza dei canoni vitruviani. I modi tendenzialmente arcaico-romanici che sembrano prevalere nel *Crocifisso* di Coppo (n. 2) vengono invece solo in minima parte accolti da Cimabue che li traduce, quasi in polemica con Coppo stesso, in una sciolta morbidezza di linee. Ciò si rileva soprattutto nel volto del Cristo, dove il dramma dell'agonia attinge un simbolico significato di trasmutazione più che di morte; e, analogamente, nel corpo, che si offre in una espressione concettuale che è promessa di continuità di vita, resa adeguatamente per mezzo di un disegno ondoso che si distacca dal linguaggio tradizionale (anche rispetto a Giunta). In Coppo, al contrario, l'accentuata espansione delle forme del volto, pur in contrasto con l'asciuttezza alquanto stereotipata e rigida del resto del corpo, è certamente il segno di una energica impostazione drammatica; ma ciò avviene in maniera abnorme, in un eccesso di tetro espressionismo senza speranza, non ancora mitigato dall'eleganza di vena ellenistica presente in Cimabue. L'emergere con tale evidenza del *ductus* classico-ellenistico in una "meravigliosa intuizione, classica e moderna insieme, dell'alto potere espressivo della forma più schietta" (Marcucci, 1958) — che improntarà poi tutta la produzione cimabuesca, fino alla prova estrema e forse più significativa offerta nel *Crocifisso* di Santa Croce (n. 43) — costituisce uno degli aspetti fondamentali del linguaggio del maestro e uno dei principali motivi che inducono a colloca-

5 a

5 b

5 c

re Cimabue tra i protagonisti del rinnovamento artistico nel suo tempo. Una tale componente, più che nella grande tradizione bizantina, che tuttavia rivive sempre in tutte le opere di Cimabue, e qui in modo splendido nel disegno e nei colori vivacissimi del perizoma, di un rosso intenso lumeggiato d'oro (ciò che si ripeterà nella *Madonna* di Santa Trinita, n. 42), trova le sue radici soprattutto nel più moderno neoellenismo fiorente in quei decenni, anche in Italia, e che si riflette sia nel pisano Maestro di San Martino sia in Giunta, e in mo-

do particolare nel perduto *Crocifisso* di Frate Elia (si veda al n. 1), sia nel Maestro di San Francesco. A parere, tuttavia, di alcuni studiosi (Toesca, 1927; Longhi, 1948; Bologna, 1962), il classicismo di Cimabue troverebbe la sua vera ragione nell'influenza della scultura di Nicola Pisano. Il Battisti (1963) propone invece, come fonte di ispirazione per l'opera in esame, reperti archeologici, riportati alla luce assai copiosi proprio in quegli anni nell'aretino; quest'ultima ipotesi, che tuttavia non esclude le altre, risulta particolarmente convincente e

a ragione induce lo studioso a concludere che "il soggiorno di Cimabue nell'Arezzo di allora, piena di vivacità e di erudizione, segnò nella storia figurativa già una svolta essenziale". Non va dimenticato, a tale proposito, che un'influenza dell'arte classico-etrusca è già manifesta negli affreschi del Maestro di San Francesco nella Chiesa Inferiore di Assisi (basti citare il particolare del volto di Nicodemo, qui riprodotto a pag. 85, nella *Discesa dalla croce*, vero esemplare di pittura murale o vascolare antica).

Mosaici del battistero di San Giovanni

I lavori relativi ai mosaici della cupola del battistero fiorentino ebbero inizio nel terzo decennio del Duecento (per l'esattezza nel 1225) con un Jacopo dell'ordine francescano, dal Vasari confuso con Jacopo Torriti, e si protrassero oltre la fine del secolo. Controverso il problema dell'attribuzione e della cronologia del complesso, considerato comunque un punto di riferimento obbligato dagli studiosi di Cimabue (benché il diretto richiamo al maestro debba essere limitato a tre brani soltanto della vasta decorazione: *Giuseppe venduto dai fratelli*, il *Lamento dei genitori di Giuseppe* e l'*Imposizione del nome al Battista*, foto 5a-5c). Nel cantiere del battistero, infatti, il maestro fiorentino approfondisce ed estende le proprie conoscenze, lasciando una prima impronta del suo inconfondibile stile. Da un punto di vista generale, questi mosaici rappresentano il più prestigioso punto di aggancio per la pittura fiorentina ai suoi albori e

5

altresì il più prezioso documento della sua nascita e del suo evolversi fino alle espressioni più personali, cui sarebbero anche legati i nomi di Coppo e di Meliore, di Cimabue e di Gaddo Gaddi, nonché di artisti di vena giottesca (secondo alcuni Giotto stesso [Ragghianti, "CA" 1969]). Nell'accavallarsi dei problemi intorno al grande ciclo, anche le proposte di soluzioni risultano spesso contrastanti; tuttavia la critica su un punto sembra essere d'accordo, e cioè che a dirigere la decorazione musiva fossero maestri orientali, provenienti forse da Venezia, i famosi maestri "greci" cioè, alla cui scuola si sarebbe principalmente formato Cimabue, e con lui altri toscani. "L'arte bizantineggiante era assai in voga a Firenze nella seconda metà del XIII secolo e verso di essa tendevano intensamente le forze artistiche locali" (Lazarev); onde "i mosaici del 'Bel San Giovanni' esercitarono [...] una più elevata azione: spetta ad essi di aver trasformato l'ambiente e di aver trasfuso larghezza e plasticità nei dipinti su tavola, in modo da preparare l'avvento di Cimabue e di Giotto" (Salmi). Tentativi volti a identificare le personalità artistiche più rilevanti intervenute nella decorazione musiva, sono stati condotti in particolare da A. Venturi (1907), Soulier (1924), Muratov (*La pittura bizantina*, 1928), Salmi ("D" 1930-31), Van Marle (1932), Lazarev ("RIA" 1955), Longhi ("PR" 1948), Demus ("Actes du VI Congrés International des Etudes Bizantines", II, 1951), De Witt (*I mosaici del Battistero fiorentino*, 1954), Ragghianti ("SA" 1957; "CA" 1969). Tentativi resi tuttavia quanto mai ardui non soltanto dalla mancanza di una sufficiente documentazione, ma anche dal fatto che tra la fine del secolo scorso e gli inizi del nostro, i mosaici del battistero vennero sottoposti ad ampi e spesso maldestri restauri (Ponticelli, "C" 1950 e 1951) che ne hanno alterato in molte parti la fisionomia originale.

Per quanto riguarda l'intervento di Cimabue nel grande ciclo musivo, il primo a proporne la presenza in alcune scene è stato A. Venturi, che ha però redatto un elenco piuttosto estensivo delle parti da riferire al maestro; in particolare, a proposito di due 'storie' di Cristo (la *Cena* e il *Bacio di Giuda*), lo studioso osserva che "non mancano qua e là reminescenze cosmatesche, tanto da farci pensare ad un'importazione romana a Firenze e, per la robustezza massiccia delle figure, che visse, e si erudì a Roma, e lavorò a fianco di Pietro Cavallini" (ne risulta implicitamente che il Venturi ritiene l'intervento di Cimabue posteriore al soggiorno romano); lo studioso distingue ancora la mano del maestro nell'angelo che nel *Giudizio universale* conduce gli eletti; in alcuni *Patriarchi* della seconda fascia decorativa, a destra; nel *Cristo giudice*; e infine nella maggior parte delle 'storie' del Battista, dove però l'opera di Cimabue si alternerebbe a quella di un artista di minore spicco, probabilmente Gaddo Gaddi. All'indagine di A. Venturi segue quella più cauta del Toesca (1927), che riprendendo la distinzione venturiana tra le due mani, Cimabue e Gaddi (ma una più puntuale identificazione delle parti che sarebbero da assegnare al Gaddi verrà condotta dal Ragghianti [1969]), riconosce al primo soltanto le scene con il *Lamento dei genitori di Giuseppe* e *L'imposizione del nome al Battista* limitando però l'intervento diretto di Cimabue alla figura di giovane (n. 5), riferita al maestro anche dal Berenson (1932). Il Salmi ravvisa il fare di Cimabue oltre che nelle due suddette 'storie', pure

6 [Tav. IX-XI]

nel *Giuseppe venduto dai fratelli*, mentre il Van Marle (1932) ritiene che Cimabue abbia disegnato soltanto i tre cartoni relativi. Coletti (1941) e Longhi ("PR" 1948) accettano le attribuzioni del Salmi e del Toesca. La partecipazione di Cimabue è invece negata dal Nicholson. Il Salvini (1946) scorge l'intervento sporadico di Cimabue nelle tre scene suddette che però egli considera ideate da altri; successivamente ("RIA" 1950) assegna al maestro il volto giovanile dell'*Imposizione*, e lo raffronta con il *San Giovanni* della Croce di Arezzo (n. 4). Il Ragghianti, che in un primo tempo (1955) aveva assegnato a Cimabue la testa di giovane nell'*Imposizione*, in seguito (1969) considera le tre scene interamente di un maestro cimabuesco. Il Previtali (*Giotto*, 1967) ritiene che Cimabue abbia largamente partecipato, in diversi momenti, alle 'storie' di Giuseppe e alle 'storie' del Battista. Circa la datazione, i mosaici sarebbero stati iniziati nel 1271, ove si tenga conto di un documento che attesta in quell'anno l'erezione di impalcature, anche se ciò non dev'essere considerato assolutamente decisivo al fine di stabilire un preciso *post quem*; ed è quanto afferma il Salvini (1950), il quale ritiene possibile un intervento di Cimabue circa ventenne, cioè verso il '60. Cimabue nel mese di giugno del 1272 era a Roma; anche se si accetta la data del 1271, è da osservare che sebbene non esista un gran lasso di tempo tra le due date, rimane tuttavia un margine sufficiente per-

ché il maestro partecipi ai lavori musivi; e benché non si possa precisare se egli stesso abbia provveduto anche all'esecuzione materiale, si deve ammettere che egli poté disporre comunque del tempo necessario per fornire cartoni — cioè la parte fondamentale sul piano artistico — per alcune scene. Si ritiene inoltre che l'intervento del maestro, per quanto riguarda le parti autografe, si sia limitato, data la giovane età, all'esecuzione sporadica di qualche brano isolato; si tratta di una tesi che non trova un valido fondamento ove si accetti la data del 1271, perché in quell'anno Cimabue non era molto giovane essendo sui trent'anni. Se mai, è per la qualità del linguaggio che la sua opera resta isolata, anche se i radicali rifacimenti rendono estremamente difficile il poter stabilire fino a che punto si estendesse la sua partecipazione diretta.

A parte la scena con l'*Imposizione* (foto 5c), che pone i maggiori interrogativi a causa degli ampi rifacimenti, anche il *Giuseppe venduto* (5a) e il *Lamento dei genitori di Giuseppe* (5b) segnano un notevole scarto di qualità. Così il gruppo di giovani in *Giuseppe venduto* dove lo stile cimabuesco, come notò il Salmi, parrebbe particolarmente manifesto, conferma appunto, e proprio per quello scarto cui si accennava, che la personale esecuzione del maestro può essere ravvisata soltanto nel volto giovanile dell'*Imposizione*. Il resto par che si addica meglio a un aiuto o a un esecu-

tore di cultura diversa, probabilmente neocarolingia, anche se ciò non esclude che l'autore dei cartoni possa essere stato Cimabue. Va ricordato infine che qualche studioso (Hueck, *Das program der Kuppelmosaiken in Florentiner Baptisterium*, dissertazione tenuta presso l'università di Monaco [Battisti, 1963]), tenderebbe a posticipare la datazione dei mosaici; ma anche in tal caso non avremmo alcun preciso motivo per escludere la presenza di Cimabue.

5. TESTA DI GIOVANE ASTANTE

mosaico 1270-72 c.

Particolare dell'episodio con l'*Imposizione del nome al Battista*, per il quale più convincente appare l'ipotesi di una partecipazione di Cimabue. Si tratta della zona meglio conservata dell'intera raffigurazione, per cui si veda anche la scheda introduttiva). Appaiono qui evidenti i segni della più raffinata e colta arte di un Cimabue già sensibile ai modi del neoellenismo certamente a lui comunicati da maestri 'greci' sia a Firenze sia, ancor meglio, a Pisa dove l'artista aveva potuto già essersi recato. Questo volto è assai simile, tra l'altro, a una testa di giovane (tav. XXII, e positivo invertito a pag. 99) nel gruppo a destra della *Crocifissione* di Assisi (n. 22); lo è nel ripiegarsi del capo, nel comporsi davvero identico dei capelli, nel disegno del naso e dell'orecchio; soltanto l'espressione muta lievemente, ma ciò è in adesione al tono diverso del racconto. Assai minori analogie esistono invece con il

volto del *San Giovanni* di Pisa (n. 44) e con quello dello stesso santo nella *Crocifissione* assisiate.

6. MADONNA CON IL BAMBINO IN TRONO, QUATTRO ANGELI E SAN FRANCESCO. Assisi, basilica di San Francesco (Chiesa Inferiore)

af 320×340 1278-80

Nel transetto destro, costituisce il primo riquadro della decorazione della volta a botte, a partire dal basso, a destra. Si tratta certamente di una delle opere più 'problematiche' di Cimabue, non per quanto investe la paternità, ma per ciò che concerne anzitutto la datazione e in secondo luogo le condizioni dell'affresco che dopo i recenti interventi da parte dell'Istituto Centrale del Restauro è risultato, forse più di quanto non si credesse, gravemente manomesso da ridipinture. Generalmente noto è il restauro ottocentesco del pittore Guglielmo Botti, lodato dal Cavalcaselle (1864), ma che, secondo l'Aubert (1907), avrebbe "abbellito" il dipinto. Non fu questo però il solo rifacimento-restauro subìto dall'affresco: ora è poco tempo, padre Pasquale Palumbo, direttore della Biblioteca Comunale di Assisi, segnalava (comunicazione privata) di avere rintracciato un documento dal quale risulta che già nel Cinquecento l'affresco aveva subìto ritocchi da parte del pittore Guido da Gubbio (purtroppo, la recente scomparsa dello studioso ha impedito che il documento venisse pubblicato). Il primo ad attribuire l'affresco a Cimabue fu, verso il 1570, fra' Ludovico da Castello (Cristofani, "BU" 1926), seguito dal Ranghiasci (*Descrizione della Basilica di S. Francesco d'Assisi ...*, pref. di C. Fea, 1820) e successivamente da tutti i critici, eccezion fatta per Wickhoff (1889) e Langton Douglas (in Cavalcaselle-Crowe, 1903) che lo considera di scuola senese. Secondo A. Venturi (1907), alla sinistra del trono, a riscontro della figura di san Francesco, si sarebbe trovato un sant'Antonio da Padova successivamente distrutto (ma si sarebbe potuto trattare di un san Domenico in base a quanto dubitativamente suggerisce la Nyhlom [1969]). Secondo la stessa studiosa, inoltre, la figura di san Francesco che "sta a sé, isolato e un poco smarrito" sarebbe stata aggiunta in un secondo tempo, sempre da Cimabue, "forse per soddisfare il desiderio di alcuni membri della comunità"; tesi tuttavia non del tutto accettabile se consideriamo (anche in assenza del secondo santo) l'equilibrata organicità del complesso compositivo che resta solo menomata da una posteriore cornice decorativa. L'estraneità del santo in tale complesso è del tutto apparente; infatti i due elementi della Maestà e la figura isolata vicendevolmente si esaltano proprio in quel loro contrasto nel contesto della composizione. Per quanto si riferisce alla datazione, il dipinto, per ragioni di stile, viene generalmente considerato posteriore agli affreschi del transetto della Chiesa Superiore e accostato ora alla *Madonna di*

Santa Trinita (n. 42), ora alla *Madonna* del Louvre (n. 45); solo l'Aubert (1907), pur non pronunciandosi espressamente, sembra riferirlo all'attività iniziale di Cimabue, dato che lo avvicina alla *Madonna* di Santa Trinita da lui considerata appunto giovanile; mentre il Brandi (1951) lo ritiene anteriore al 1285 e perciò precedente agli affreschi della Chiesa Superiore che egli suppone intrapresi nel 1288. In realtà si può ipotizzare che in un primo tempo sia stata affidata a Cimabue la decorazione completa del transetto destro della Chiesa Inferiore; ma, verosimilmente, ultimato l'affresco in esame (il primo, dunque, del ciclo), offrendo una prova altissima delle proprie capacità, Cimabue fu invitato a intervenire nella decorazione particolarmente impegnativa della Chiesa Superiore (iniziata, e poi improvvisamente interrotta, dal maestro nordico operoso nel transetto destro). Lo stile dell'affresco in esame, d'altra parte, ben si addice a un'opera piuttosto giovanile di Cimabue, dopo il soggiorno romano; è da notare, a proposito, come osserva il Samek Ludovici (1956), "il maggior risultato in senso classico dato alla forma", un risultato, aggiungiamo, che si ritroverà, ma più affinato, nel *Crocifisso* di Santa Croce (n. 43). Il tema essenzialmente devozionale, non consente certo un paragone con il linguaggio drammatico e scavato della *Crocifissione* (n. 22) e delle scene apocalittiche (n. 23-27); lo consente però con le 'storie' mariane (n. 7-14), alle quali si potrebbe immediatamente legare, e che possono rappresentare un punto di passaggio prima che Cimabue metta mano alle vele con gli Evangelisti (n. 17-20) e al ciclo apocalittico. Le 'storie' mariane, sebbene riferibili anch'esse al filone devozionale, possiedono un impianto strutturale nuovo; nel sopravvivere di una esistenziale amarezza, esse si accordano in ritmi più animati e più animosi, mentre il timbro poetico si fa più incupito. Niente di tutto questo nell'opera in esame, dove ogni motivo risulta soavemente pacato e calibrato e liricamente francescano; e ciò pur nella robustezza dell'impianto e nella ancora recepibile espressività dei volti. In questa segnata dolcezza, si è voluto vedere (ma anche considerando l'opera più tarda) l'influsso di Duccio (Bologna, 1965); e certamente l'affresco, prima del restauro, poteva sembrare già una dolcezza insolita, in una "interpretazione", osserva il Salvini (1946), "quasi purista dello stile di Cimabue".

Tutta la composizione poggia su un prato verde: sia il trono con la sua base, sia san Francesco che è a piedi nudi; piedi elegantissimi e diversi da quelli abitualmente dipinti da Cimabue, nei Crocifissi, ad esempio, o negli *Angeli ai quattro canti della terra* (n. 24), o in alcuni personaggi della *Crocifissione*. Il trono che è "di legno" come tutti i troni di Cimabue, era color dell'oro ed è orientato in prospettiva trasversale, secondo uno schema che l'artista non ripeterà più (almeno in maniera così pronuncia-

ta), né nel trono della *Vergine in gloria* della Chiesa Superiore (n. 14), dove la trasversalità è appena accennata, né in quello, frontale, della *Madonna* di Santa Trinita (n. 42). La spalliera è costituita da una semplice tendina ricamata, un precedente cui poté ispirarsi Duccio per la *Madonna Rucellai* (n. 48). La disposizione degli angeli a figura intera ai lati del trono venne considerata dal Sirén ("REA" 1926) una novità introdotta da Cimabue; ma un precedente di questo genere Cimabue aveva già potuto osservare durante il suo soggiorno romano, come ha rivelato il Brandi, ad esempio nella *Maestà* affrescata in Santa Maria Antiqua (sec. V) ovvero nella tavola con la *Madonna in trono tra angeli*, di Santa Maria in Trastevere (sec. XII).

Il volto della Madonna ha sofferto moltissimo a causa delle ridipinture; porta appena i segni del comporre cimabuesco; l'impressione che esso suscita è di un'immagine edulcorata. Il san Francesco, dopo il restauro, ha ritrovato un aspetto giovanile, non ancora da trentenne. Stupendo, sul piano compositivo-formale, ciò che resta del brano al centro del santo, comprendente le mani con il libro, il costato ferito, con le due piaghe a gancio che delimitano il particolare in alto e in basso. Tuttavia, il fare più alto del maestro si riscontra (seppure ormai come un pallido riflesso) nelle figure degli angeli, soprattutto in quello in basso a destra, le cui ali rivelano una stesura cromatica del tutto analoga a quella degli angeli entro le logge nel transetto sinistro della Chiesa

Superiore, e il cui volto — enigmaticamente atteggiato e percorso da profonde fasce d'ombra, secondo l'inflessione più tipica del linguaggio cimabuesco — resta uno dei brani più splendidi, se non il più splendido, dell'intero repertorio di figure 'vive' dipinte da Cimabue.

Per meglio chiarire la condizione attuale del dipinto, si riportano alcune considerazioni dell'Istituto Centrale del Restauro di Roma: "L'intonaco dell'affresco di Cimabue è stato tagliato nel corso della decorazione del transetto a opera di maestri giotteschi, ed inquadrato dalle fasce con motivi ornamentali e busti di angeli e santi dentro medaglioni o quadrilobi. La composizione appare dunque mutilata di una figura e ridotta lungo il bordo superiore al margine delle aureole degli angeli ed a 2/3 dell'aureola della Madonna. Il taglio è evidente, a luce radente, per la sovrapposizione dei margini degli affreschi giotteschi a quello di Cimabue. La stessa indagine a luce radente ha rivelato che non esistono altri giunti sull'affresco, eseguito dunque in una sola 'giornata' e certo rifinito a secco. Infatti l'immagine originale sotto le ridipinture resta solo lo 'scheletro', la traccia compositiva ad affresco, molto consumata: la tessitura pittorica, evidentemente affidata alle rifiniture a secco, è perduta. Tardi rifacimenti e ritocchi, eseguiti in più riprese e dunque testimonianti l'interesse tributato all'antica immagine dalla fine del Settecento al nostro secolo, ricoprono, spesso alterandone le forme, questo resto di originale. La pulitura

Spaccato dell'intera Basilica di San Francesco, comprendente cioè sia la Chiesa Superiore sia quella Inferiore, quale appare in una vecchia incisione.

ha permesso di recuperarne ancora alcuni elementi [...]: inoltre ha rivelato come in origine la fisionomia di san Francesco fosse caratterizzata, come ritratto, dal particolare delle grandi orecchie. Dove l'affresco originale era talmente consumato da non presentare più nemmeno la traccia dell'immagine, si è lasciato quanto vi era stato aggiunto nel corso dei restauri precedenti: nel volto della Madonna e del Bambino e, parzialmente, sui volti degli angeli e sulle pieghe dei loro manti.

"Il dipinto si presenta ricoperto da uno strato di polvere grassa e ragnatele [...]. Un antico restauro ha ricoperto le aureole con una nuova e pesante doratura a missione. Un restauro successivo ha ritoccato le mancanze di un tal oro con una tempera gialla. Il cielo, in gran parte rifacimento, presenta diversi rifacimenti. Il trono, molto sporco specie nella parte bassa, conserva tracce di una vecchia ridipintura azzurra con stelle d'oro. L'Angelo a sinistra in basso, forse il più conservato, presenta lacerazioni nere sul manto, ritocchi sugli occhi e su tutto il volto. L'Angelo a sinistra in alto, anche lui con alterazioni sull'ala sinistra, ha il volto completamente ritoccato. La Madonna e il Bambino, forse i più rovinati, hanno molti ritocchi sui visi e sulle mani. Nella Madonna si nota anche un pentimento sul piede di destra. L'Angelo a destra in alto, oltre ad essere pesantemente ripreso sul viso, ha una parte dei capelli completamente rifatta. L'Angelo a destra in basso è molto ritoccato agli occhi. Il san Francesco,

con abrasioni su tutta la figura, ha il viso e la testa appesantiti da molti ritocchi scuri. La polvere superficiale e le ragnatele sono state tolte con una delicata spolveratura eseguita con pennellesse di martora. La pulitura totale del dipinto si è fatta con tamponi leggermente umidi, mentre i ritocchi sui visi sono stati tolti localmente con piccoli batuffoli di cotone umido e sotto il controllo di lenti. L'oro falso delle aureole è stato asportato con impacchi di cotone imbevuto di dimetil + amile acetato per il tempo necessario. Dopo la rimozione di tutto l'oro falso delle aureole si è notato che le cuspidi delle colonnette erano davanti alle aureole invece che dietro e che le orecchie di san Francesco erano originariamente molto più grosse e aperte. Durante la pulitura si è visto che il cuscino era largamente ridipinto. La pulitura di tale ridipintura ha richiesto l'uso di una miscela basica (A.B. D.) trattandosi di un vecchio ritocco ad olio. Dopo tale pulitura è apparso uno spicchio di lenzuolo ai lati della Madonna. Un altro recupero avvenuto durante la pulitura è stato il ritrovamento, sotto l'azzurro falso del cielo, del bastone che sorregge la tenda sullo schienale del trono. Nel rimuovere i vecchi stucchi delle grosse lacune in basso si è trovato il limite della pedana del trono e la punta del piede destro dell'angelo di destra in basso e la punta del piede sinistro dell'angelo di sinistra in basso."

Affreschi della Chiesa Superiore di Assisi

La decorazione concernente il transetto e il presbiterio della Chiesa Superiore della basilica di San Francesco, dovuta soprattutto all'intervento di Cimabue — ove si escludano alcune parti eseguite da allievi o seguaci e da artisti di rigida formazione gotica —, rappresenta la massima espressione dell'arte del maestro e certamente uno dei principali monumenti, se non il principale, della pittura pregiottesca e prerinascimentale. La lettura si presenta quanto mai difficile per lo stato di rovina in cui ci sono pervenuti gli affreschi, che già il Vasari, circa quattro secoli or sono, vide "dal tempo, dalla polvere consumati", e alcuni dei quali sono oggi quasi del tutto scomparsi; a ciò si aggiunga la degenerazione chimica delle biacche — però soltanto in alcune parti e non in tutto il ciclo come di solito viene riferito — che ha invertito i rapporti tra colori chiari e scuri. Si è perciò provveduto, per alcune scene, a un capovolgimento fotografico dei contrasti in maniera da facilitare la lettura dei motivi raffigurati, seguendo un procedimento tecnico di cui si sono giovati, in modo particolare per la *Crocifissione*, già altri studiosi; procedimento utilissimo, tuttavia, anche se non può certo ricreare perfettamente i contrasti quali dovevano risultare nella originale stesura. Va sottolineato inoltre, che la lettura della

Incisioni ottocentesche riproducenti l'interno della Chiesa Superiore di San Francesco: la prima (dall'alto), datata 1836, e la seconda, eseguita all'inizio dell'Ottocento da F. Carpinelli e G. B. Mariani, presentano il transetto e la navata ripresi dall'abside; l'ultima, pure di Carpinelli e Mariani e ripresa dalla navata, mostra l'altro lato del transetto e l'abside.

maggior parte delle scene (rimangono escluse le due *Crocifissioni*) situate nel registro inferiore sia del transetto sia del presbiterio resta menomata dalla presenza delle cuspidi del coro quattrocentesco che le ricoprono per circa un terzo.

La decorazione comprende: motivi geometrici, racemi e fogliame, in alcuni dei quali sono incastonate teste di angeli e di putti, angeli telamoni che reggono vasi, mascheroni raffiguranti vegliardi; questi motivi, dipinti lungo i costoloni e le volte, risultano i meno danneggiati nel colore. Nell'abside si svolgono le 'storie' mariane e precisamente: l'*Annuncio a Gioacchino*, l'*Offerta di Gioacchino*, la *Natività della Vergine*, lo *Sposalizio*, il *Trapasso*, la *"Dormitio Virginis"*, l'*Assunzione*, e *Cristo e la Vergine in gloria* (n. 7-14). Motivi ornamentali e figure intere o a mezzo busto completano questa parte della decorazione (n. 15-16). Nella volta centrale del transetto sono raffigurati i quattro *Evangelisti* (n. 17-20). Nel transetto sinistro sono illustrati episodi dell'*Apocalisse*: la *Visione del trono*, la *Visione degli angeli ai quattro canti della terra*, il *Cristo apocalittico*, la *Caduta di Babilonia* e *San Giovanni e l'angelo* (n. 23-27); nei lunettoni, a sinistra, una raffigurazione quasi del tutto scomparsa (n. 28), a destra, *San Michele e il drago* (n. 29); tutta la parte inferiore della parete sinistra è occupata dalla grande *Crocifissione* (n. 22). Anche intorno a queste scene corrono motivi ornamentali e figure, in maggior parte angeli (n. 30-34). Nel transetto destro, le 'storie' apostoliche comprendono: *San Pietro guarisce lo storpio*, *San Pietro guarisce gli infermi*, la *Caduta di Simon Mago*, la *Crocifissione di san Pietro*, la *Decapitazione di san Paolo* (n. 35-39); inoltre, nella grande lunetta sinistra, in alto, *San Luca inginocchiato davanti a un trono* (si veda al n. 41); nella lunetta destra, di fronte alla precedente, la *Trasfigurazione* (si veda al n. 41) e, in basso, la seconda *Crocifissione* (n. 40). Clipei con angeli, santi, apostoli, figure virili, racemi, architetture, motivi geometrici completano la decorazione. Lungo tutto il bordo della parete al di sopra del pavimento corre una fascia riccamente decorata, in gran parte ricoperta dal coro, il cui motivo predominante è il cerchio (n. 30).

Il criterio informatore che presiedette alla decorazione di questa parte della Chiesa Superiore dovette ubbidire a un ben preciso schema unitario, iconografico ed estetico, verosimilmente concordato tra l'artista e l'ordine francescano. Interessante quanto al riguardo osserva White (1957): "Al di sopra delle scene principali il muro arretra per far posto a un ampio loggiato, che corre ininterrotto intorno alla chiesa, passando dietro alle arcate dei transetti e alle colonne della volta principale. Questo effettivo arretramento della superficie è, tuttavia, parzialmente annullato dall'artista con la pittura: egli infatti concepisce il loggiato non come un taglio nella parete, ma come un oggetto, immaginando la super-

ficie inferiore della sporgenza come un cassettonato su mensole a volute. Questo elemento architettonico sottolinea la concezione che Cimabue ha del coro e dei transetti, e forse dell'intera chiesa, come spazio unitario". Gli affreschi si accostumano quindi armonicamente all'architettura, ottemperando in modo consono alle esigenze di quest'ultima; nello stesso tempo, il ciclo pittorico obbedisce a una sua ben precisa logica (le principali fonti di ispirazione potrebbero essere secondo alcuni le *Legendae duae* di san Bonaventura, secondo altri gli scritti del francescano Pietro di Giovanni Olivi dedicati alla Vergine, agli apostoli e soprattutto all'Apocalisse [*Super Apocalypsim*]). Inoltre è da rilevare, quale elemento per nulla secondario, l'estrema libertà di stile e di invenzione di cui si valse l'artista, pure in un momento storico in cui un ciclo di siffatta importanza e delicatezza non poteva non soggiacere alle più severe prescrizioni.

La critica moderna — ove si escludano Thode (1885) e Strzygowski (1888; distinguendo però tra Cimabue e aiuti e ravvisando precisamente questi ultimi nelle scene apocalittiche e mariane), che assegnano tutta la decorazione a vari momenti dell'attività di Cimabue — tende a riconoscere al maestro fiorentino solo una parte della decorazione. Il resto andrebbe riferito all'opera di artisti d'Oltralpe, di formazione gotica, e di allievi e seguaci di Cimabue. Ma prima di approdare a tale conclusione, che è tra le più plausibili e che prese avvio dalle acute osservazioni dell'Aubert (1907), la critica si era indirizzata diversamente (come nel caso del Thode) anche perché sviata, è da supporre, dal giudizio del Vasari che senza affatto distinguere di fronte allo scarto evidente di qualità e di stile esistente tra le varie parti, assegnò in blocco tutto il complesso a Cimabue. Il Ranghiasci (*Descrizione della Basilica di S. Francesco d'Assisi ...*, pref. di C. Fea, 1820) tentò per primo una distinzione di tempi e di stili, assegnando a Cimabue soltanto gli affreschi del transetto sinistro e il resto a Giunta Pisano (al quale alcuni storici precedenti come l'Angeli, il Da Morrona, il Tempesti avevano attribuito anche la grande *Crocifissione*), cioè in un periodo precedente l'intervento di Cimabue. Questa distinzione venne accettata tra gli altri dal D'Agincourt (*Storia dell'arte*, 1826), dal Frey (1911) e dal Cavalcaselle (1864), che in seguito (1875) ritarda la decorazione del transetto destro (escluse le 'storie' apocalittiche e la seconda *Crocifissione*) a un periodo successivo all'intervento di Cimabue, e precisamente verso la fine del secolo. I primi ad avvertire l'insostenibilità sia dell'assegnazione di tutto il ciclo al solo Cimabue, sia della presenza di Giunta, furono, anzitutto lo Zimmermann (1899) che riferì a Cimabue gli affreschi del transetto sinistro e il resto a Cimabue e aiuti, indi l'Aubert (1907) che intendendo i marcati goticismi evidenti nelle decorazioni delle volte, nelle gallerie e in alcune parti del transetto destro, ne collegò

lo stile con quello delle vetrate e, aderendo parzialmente a un'ipotesi del Wickhoff (1889), li suppose eseguiti prima del 1253. Ma se puntuale è la distinzione stilistica operata dall'Aubert, del tutto inaccettabile risulta la tesi secondo la quale la parte 'gotica' (motivi ornamentali, *San Luca inginocchiato davanti a un trono*, la *Trasfigurazione*, angeli, apostoli e altre figure del transetto destro) della decorazione sia da retrocedere a oltre vent'anni prima dell'intervento di Cimabue. A questo riguardo, altri più esattamente suppongono che gli affreschi di questa parte della chiesa siano da assegnare sì a un artista gotico attivo però, se non proprio contemporaneamente a Cimabue,

in ogni caso in un momento assai vicino (Coletti, Nicholson, Brandi, Volpe, Bologna). Per quanto riguarda le scene cristologiche, apocalittiche, mariane, apostoliche e gli Evangelisti della volta, il giudizio della critica si è fatto negli ultimi decenni sempre più puntuale; si conviene in genere che per i suddetti cicli la mente direttiva sia stata una sola, quella di Cimabue: resterebbero solamente da distinguere le parti autografe dalle poche dovute ad allievi e seguaci.
Circa la cronologia delle pitture attribuite a Cimabue, i pareri sono risultati sempre assai discordi, con interventi che soprattutto negli ultimi tempi hanno assunto spesso tono animoso e acceso. La datazione

infatti, in questo caso, viene ad assumere una fondamentale importanza per due motivi principali: il primo investe la fonte 'letteraria' cui Cimabue si sarebbe ispirato, fatto questo non puramente letterario, ma che coinvolgerebbe invece il fondamentale problema politico-religioso relativo a un preciso atteggiamento, manifesto appunto negli affreschi, da parte di Cimabue e di un settore dell'ordine francescano nei confronti del papato. Il secondo motivo, forse il più scottante, concerne la questione, fondamentale e fino ad oggi non esaurientemente risolta, dell'eventuale intervento di Giotto nei registri superiori delle prime due campate della navata, con tutte le conseguenze del caso,

ove un tale intervento dovesse essere escluso; infatti, il ritardare la datazione degli affreschi cimabueschi verso il 1285-90 farebbe vacillare l'ipotesi di un intervento di Giotto 'giovane' nelle suddette campate, il cui stile viene giustamente riconosciuto tanto diverso rispetto alle 'storie' francescane (si da presupporre un lasso di tempo abbastanza lungo) databili al 1296 c., secondo alcuni addirittura proprio al 1290. "È chiaro infatti che ove si dimostrasse errata l'ipotesi di questo lento svolgimento dei lavori a partire da una data tra il 1277 e il 1280 per la volta degli Evangelisti di Cimabue, e si convalidasse al contrario l'ipotesi di un rapido svolgimento dei lavori e della contempo-

raneità della maggior parte dei dipinti fra l'inizio di Cimabue intorno al '90 e l'inizio nel '96 del ciclo francescano, cadrebbe ogni possibilità di vedere nei dipinti degli ordini superiori delle prime due campate gli esordi e il primo svolgersi dell'arte di Giotto" (Gnudi, *Giotto*, 1959).
'La cronologia più precoce è indubbiamente quella proposta dal Wickhoff (1889), il quale, ritenendo che la chiesa fosse già stata decorata al momento della sua consacrazione avvenuta verso il 1253, anticipò in modo abnorme la datazione degli affreschi che, tra l'altro, Cimabue non avrebbe potuto eseguire, essendo egli nato intorno al 1240. A sostegno della sua tesi, lo studioso aggiungeva che lo

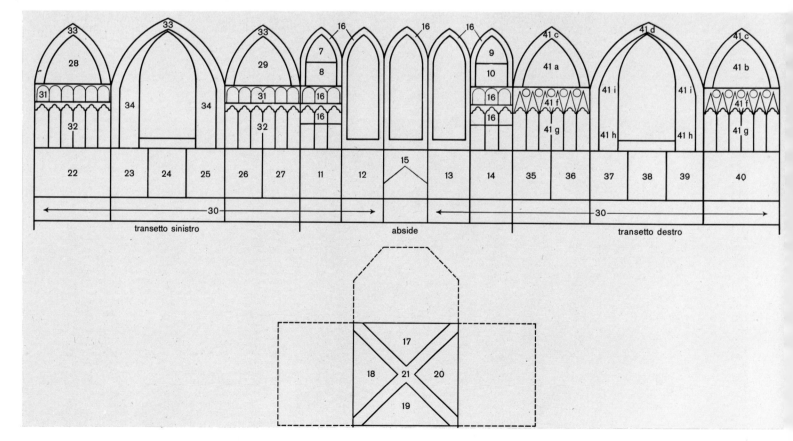

transetto sinistro — abside — transetto destro

stemma degli Orsini, visibile nella vela con la pianta di Roma (n. 18), sarebbe stato dipinto in omaggio al cardinale Gian Gaetano Orsini per la sua munificenza nei confronti dell'ordine, prima di essere nominato protettore dello stesso nel 1263. Le tesi del Wickhoff risultano del tutto infondate sia perché escluderebbero, assurdamente, la partecipazione di Cimabue sia perché, se mai, l'omaggio a Gian Gaetano Orsini, come osserva l'Aubert (1907), sarebbe avvenuto, sempre da parte di Cimabue (e dei committenti), solo mentre costui occupava il soglio pontificio col nome di Niccolò III, tra il 1277 e il 1280. Il riferimento a tali anni, così motivato dall'Aubert, ma già proposto dal Cavalcaselle e dal Thode (mentre lo Strzygowski, ritenendo gli stemmi della famiglia Savelli, cui apparteneva Onorio IV, data gli affreschi al periodo del pontificato di quest'ultimo, 1285-88), è stato accolto da buona parte degli studiosi (Frey, Sirén, Soulier, Cecchi, Sinibaldi, Brunetti, Coletti, Longhi, Ragghianti, Battisti, Bologna, White, Volpe), anche se tale circostanza non da tutti viene considerata determinante per l'intendimento del percorso figurativo di Ci-

(Sopra, da sinistra) Sequenza fotografica relativa alla zona della Chiesa Superiore di San Francesco ad Assisi interessata dalla decorazione qui presa in esame (n. 7-41): le prime tre foto riprendono, rispettivamente, le pareti sinistra, centrale e destra del transetto sinistro; nella quarta è visibile l'abside e parte della volta; la quinta e la sesta inquadrano le pareti sinistra e centrale del transetto destro. (A sinistra) Schema relativo alla decorazione con riferimento alla numerazione del presente Catalogo; il grafico in basso concerne la volta centrale del transetto. (A destra) La parete sinistra e due vetrate dell'abside; i costoloni su cui si innesta la volta dell'abside, in primo piano, e, di scorcio, la parete sinistra del transetto destro.

mabue. Così il Salvini (1946), che osserva: "Né del resto il problema è di gran momento. La luminosa chiarezza dell'arte di Cimabue sfida senza rischio le tenebre che avvolgono la nozione della sua persona biografica e dei fatti pratici della sua operosità"; e più recentemente lo Gnudi (*Giotto*, 1959) "ipotesi e congetture egualmente probabili possono essere nell'un caso e nell'altro formulate". Tra coloro che non hanno ritenuto di accettare la datazione suddetta, lo Stubblebine (*Guido da Siena*, 1954) che anticipa l'inizio della decorazione ai primi anni del '70; A. Venturi (1907) che propone il 1275; il Salmi (1959, che ritiene il ciclo eseguito nel 1280-90; Nicholson (1932), Garrison (1949), Brandi

(1951), Oertel (*Frühzeit der Italienischen Malerei*, 1953) e Salvini ("EUA", III, 1958), che tendono a spostare la datazione agli anni del pontificato di Niccolò IV (1288-92); Van Marle (*La Peinture Romaine au Moyen Age*, 1921), Mather (*A History of Italian Paintings*, 1923) e Vitzthum ("HK" 1924) che ritardano il ciclo al 1296 c. Kleinschmidt (1926) accetta gli anni del pontificato di Niccolò III, ma ritiene che le pitture siano state completate verso la fine del secolo, e ciò in base a una scritta: "MCCLXXXXVI", letta sopra una porta fra l'abside e il transetto; è tuttavia convincimento generale che tutte le scritte rintracciate in questa parte della chiesa siano da considerare po-

steriori agli affreschi. La relazione fra la data e lo stemma Orsini ha così condotto a tre tesi differenti: la prima (Wickhoff) fa riferimento al cardinale Gian Gaetano Orsini; la seconda (Aubert) al pontificato di Niccolò III; la terza (Nicholson) al pontificato di Niccolò IV. Il Brandi (1951), in base a un esame, ancor più capillare di quello dello Strzygowski, degli edifici raffigurati nella pianta di Roma, respinge il collegamento degli stemmi Orsini al papato di Niccolò III, e propone invece il riferimento ai senatori di Roma Matteo e Bartolo Orsini (in carica nel 1288) o a Matteo di Rinaldo Orsini (in carica nel 1290); onde la necessità di considerare il 1288 come termine *post*

quem per la datazione degli affreschi. Lo studioso nota infatti che l'edificio sul quale è raffigurato lo stemma non è, come vorrebbe l'Aubert, il palazzo del Laterano (che appunto avrebbe indotto l'Aubert a collegare lo stemma con un pontefice), ma invece il Campidoglio: Cimabue, certamente d'accordo con i committenti, avrebbe reso dunque omaggio non a Niccolò III, ma a un Orsini senatore di Roma. Aggiunge il Brandi: "Nello strano edificio non appare soltanto e ripetuto tre volte lo stemma Orsini, ma per ben quattro volte uno scudo con S.P.Q.R. [Senatus Populusque Romanus], sulla qual sigla non può esservi dubbio che si riferisca proprio alla città di Roma e non già alla Curia pon-

7-8

9-10

8^I

10^I

7

9

8

10

tificia". Inoltre, il Brandi sostiene che la decorazione cimabuesca debba essere contemporanea al papato di Niccolò IV (1288-92) in quanto solo costui e non Niccolò III Orsini risulta essere stato fautore di provvedimenti (gli si devono ben otto bolle al riguardo) a favore della basilica di Assisi. Perciò la scritta: "Niccolaus pulcro modo me fecit picturari" (è questa la trascrizione ritenuta più esatta, anche se il Mariangeli ne propone un'altra alquanto diversa), che si legge nella vetrata dell'abside, sarebbe da riferire a papa Niccolò IV. Di tale riferimento non sembra peraltro tenere contro il White ("BM" 1956), allorché si limita a rilevare, nell'esaminare la tesi suddetta, che tra il 1277 e il 1300 vi furono senatori Orsini per ben otto volte (con conseguente difficoltà, secondo il White, di identificazione). A riprova della sua tesi, il Brandi aggiungeva: "Se la raffigurazione dello stemma fosse stata fatta mentre Niccolò III Orsini era papa, sarebbe stato assai singolare che il pittore avesse commemorato il congiunto senatore invece del troppo più potente pontefice della stessa famiglia. Perciò la raffigurazione dello stemma di un senatore Orsini esclude logicamente dalla possibile datazione proprio il lasso di tempo in cui vi fu pontefice un Orsini, ossia il 1277-1280". In proposito, lo Gnudi faceva rilevare: "Per quale ragione in una decorazione che poté essere commessa dal convento o direttamente dalla Curia romana [...] e non certamente dal Senato o dalla città di Roma, per quale ragione o il Vaticano, o il convento o il pittore si sarebbero preoccupati di rendere omaggio alla Casa Orsini segnalandone la presenza in Campidoglio, se non era un Orsini il papa regnante o committente?". Un motivo, infatti, perché nella pianta della città venisse reso omaggio a un senatore Orsini, e non a un papa Orsini, doveva certo esserci, perciò il Gioseffi (*Giotto architetto*, 1963) osserva un dato (contemporaneamente puntualizzato dal Battisti) che avrebbe fatto pendere la bilancia a favore di Niccolò III: quest'ultimo, durante il suo pontificato, ricoprì anche la carica, tolta a Carlo D'Angiò, di senatore di Roma; ecco perché, dunque, lo stemma Orsini comparirebbe proprio sul Campidoglio. Ma anche questo nuovo elemento non poteva risultare appagante: tra l'altro, non si comprende per quale motivo, rendendo omaggio a un pontefice senatore, ci s'ingegnasse di mettere in risalto, anziché la massima prestigiosissima carica, soltanto la carica senatoria (anche se acquisita in seguito allo scacco angioino) e non ci si preoccupasse invece, come sarebbe stato più ovvio, di citarne l'emblema altrove, non sul Campidoglio cioè ma su un altro edificio che dichiarasse appunto la dignità pontificia dell'Orsini. Interviene a questo punto la Monferini ("C" 1966) con uno studio fondamentale sull'argomento, che da un lato suggerisce un'interpretazione quanto mai stimolante e al tempo stesso convincente del ciclo apocalittico (qui riportato nelle schede relative) e dall'altro propone una soluzione nuova del problema della datazione. Considerando il ciclo apocalittico come una vera e propria invettiva nei confronti di Niccolò III Orsini (invettiva, d'altra parte, ripetuta da Dante a distanza di non molti anni [*Inferno*, XIX, 31-133]), la Monferini osserva che Cimabue anche nella pianta di Roma trova modo di sottolineare il proprio empito anticuriale. L'occasione gli venne offerta dalla piega presa dagli avvenimenti subito dopo la morte di Niccolò III (agosto 1280), allorché divampò sempre più serrata la lotta tra la casata degli Orsini, esponente del partito guelfo e la casata degli Annibaldi, sostenitori di Carlo D'Angiò, lotta conclusasi con l'elezione al pontificato del francese Simone de Brie che assunse il nome di Martino IV (1281-83). Particolare importante, il fatto che nello scontro tra Orsini da una parte e Annibaldi e fazione angioina dall'altra, un esponente della famiglia Orsini, Gentile, si schierò apertamente con gli Annibaldi; e poiché Martino IV durante il suo pontificato scelse Viterbo quale abituale residenza, in tale periodo il potere venne esercitato a Roma dagli Annibaldi e dal senatore Gentile Orsini. Si noti, per inciso, come con l'omaggio a questo senatore, Cimabue volle non soltanto rendere un plauso al personaggio, ma anche e soprattutto, ponendone l'emblema a fianco della torre dei suoi amici Annibaldi, avversari del pontefice, spregiare con quel plauso i fautori di Niccolò III. Conclude la Monferini: "Risulta con grande evidenza che gli affreschi dovettero essere eseguiti all'inizio del nono decennio, tra l'agosto del 1280 e l'anno 1283, nel periodo cioè in cui Roma, assente il papa, era sotto la potestà senatoria e civile dei francesi (ed ecco la spiegazione del Campidoglio, su cui è visibile, in piccolo, uno stemma Orsini che è da riferirsi [...] al senatore Orsini, fautore dei francesi) e sotto il dominio degli Annibaldi (ed ecco infatti che la torre degli Annibaldi acquista uno straordinario rilievo nella raffigurazione della città di Roma, accanto al Campidoglio) [...]. Non è da escludere, infine, che al deperimento degli affreschi, già rilevato dal Vasari, abbia concorso anche qualche intenzionale opera di distruzione, appunto in vista della pericolosità dei significati". Con quest'ultima considerazione, la studiosa ha risposto implicitamente a un'obiezione, che in seguito le verrà posta, circa il significato antipapale del ciclo che, appunto dopo il ritorno al potere della fazione Orsini, sarebbe stato naturale che venisse distrutto (Bologna, *I pittori della corte angioina di Napoli*, 1969). A parte alcune riserve (Battisti, ed. inglese 1967; Hueck, 1969; Bologna, 1969; Volpe, 1969; Donati, "BA" 1972), la tesi della Monferini, accolta tra l'altro dal Matthiae (*Pittura romana del Medioevo*, 1966) e dal Venturoli ("SDA" 1969), non ha ricevuto fino a oggi alcuna valida confutazione. A sostegno di essa anzi, il Venturoli segnala, in particolare, come dalle *Constitutiones* del capitolo generale di Assisi del 1279 ri-

sulti che a quella data nella Chiesa Superiore non esisteva ancora nessuna decorazione; d'altra parte, i lavori avrebbero subito una sosta (anche se è verosimile supporre, aggiungiamo, che i lavori iniziati si siano potuti prolungare ancora per qualche tempo, per consentire il loro completamento) nel 1281 (a partire da tale anno infatti, secondo le bolle di Innocenzo IV del 1253 e di Clemente IV del 1266, era proibito ai francescani di utilizzare le elemosine per la decorazione della chiesa), e la sosta si sarebbe prolungata fino al 1288, quando il papa francescano Niccolò IV toglie il veto circa l'impiego delle elemosine. La cronologia degli affreschi di Cimabue andrebbe quindi precisata, secondo il Venturoli, agli anni 1280-81: periodo che sembra opportuno ampliare al 1280-83.

Per quanto riguarda la successione dei lavori, è presumibile che Cimabue abbia iniziato il suo intervento decorando l'abside con le 'storie' mariane, magari alquanto prima dell'agosto 1280; e che contemporaneamente a lui lavorasse nella zona superiore del transetto destro il maestro d'Oltralpe. È inoltre plausibile che con il mutare della situazione in seguito alla morte di Niccolò III, Cimabue assumesse la direzione di tutti i lavori del transetto e che il maestro nordico, magari dopo una breve collaborazione, interrompesse i lavori. Ciò può essere confermato anche dal fatto che alcune grandi figure nelle logge del transetto destro sono sul piano stilistico più vicine all'artista romano operoso, certo subito dopo Cimabue, nella fascia inferiore del transetto destro, che non all'artista nordico cui è da supporre sarebbe spettato di eseguirle, essendo le pareti comprese nella sua "zona d'influenza". Indi Cimabue lavorò, con la veemenza che sappiamo, agli *Evangelisti*, alle 'storie' apocalittiche e alla *Crocifissione* del transetto sinistro, mentre tracciava le grandi linee delle 'storie' apostoliche dove intervenne anche parzialmente; egli interruppe qui il suo lavoro, certo per gravi motivi, da collegare verosimilmente agli avvenimenti che condussero alla sconfitta degli Annibaldi e della fazione angioina. Il lavoro venne condotto a termine da artisti di estrazione culturale romana.

L'arte del maestro — si direbbe sulla scia del mutare degli avvenimenti politici — lascia poche anche se incisive tracce, che si proietteranno in alcune parti della zona superiore della grande navata, e soprattutto nelle 'storie' bibliche. Siamo intorno al 1288, i tempi sono cambiati, e la curia romana ignora Cimabue. Sulle zone alte della navata, l'arte del maestro assume perciò il vago accento di un ricordo; altri maestri e altre correnti prevalgono con il mutare della situazione: maestri romani, soprattutto il Torriti e il Rusuti, seguaci del Cavallini; e ancora esponenti della corrente neoellenistica, e il grande e maturo maestro delle 'storie' di Isacco (si veda ai n. 79-80). È questo il momento del più profondo mutamento nell'ar-

11 [Tav. XIV]

11 (part.)

11 (part.-positivo invertito)

12

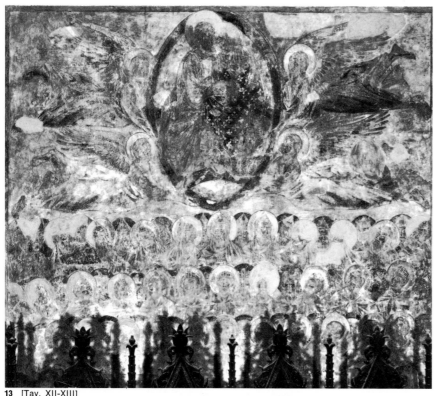

13 [Tav. XII-XIII]

Incisione relativa al n. 13 riprodotta dal D'Agincourt (Storia dell'arte, 1826).

14

14 (part.)

14 (part.-positivo invertito)

15

15¹

15²

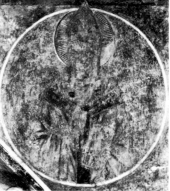

15³

te prerinascimentale, è il momento in cui compare Giotto giovane che appunto qui, nella Basilica Superiore di Assisi, ci rivela i primi segni del suo stupefacente linguaggio poetico. Purtroppo questo suo apparire, nonostante i lodevoli sforzi degli studiosi, non è stato possibile localizzarlo con assoluta certezza. Una parte della critica lo vedrebbe operoso in alcuni brani sia delle 'storie' bibliche sia delle 'storie' evangeliche, ma questa tesi viene osteggiata da altri; vi è poi chi vorrebbe addirittura negare la mano di Giotto in tutte o in gran parte delle 'storie' francescane ove tuttavia, a parte l'innegabile fortissimo divario con le opere certe dell'artista toscano, lo schema e la poetica giotteschi appaiono già abbozzati con caratteristica fisionomia (sull'argomento si vedano per più recenti disamine, con relativi aggiornamenti bibliografici: Gnudi, *Giotto*, 1959; Previtali, *Giotto*, 1967; Smart, *The Assisi Problem and the Art of Giotto*, 1971; cui deve essere aggiunto J. Pesina, *Tektonicky prostor a architektura u Giotta* [Spazio tettonico e architettura in Giotto], 1945, dove viene ampiamente affrontato anche il problema della paternità delle 'storie' di san Francesco). Qui di seguito verranno quindi prese in esame singolarmente non soltanto le parti decorative sicuramente e direttamente riferibili all'attività di Cimabue, ma anche quelle il cui significato e valore appaia strettamente riconducibile all'àmbito cimabuesco, o, meglio ancora, al medesimo, particolare 'momento'.

Abside

Decorata con le 'storie' mariane, che si articolano in otto figurazioni, le prime quattro (n. 7-10) nei lunettoni compresi fra le volte e il loggiato; le altre (n. 11-14), sulle pareti ai lati del trono papale (qui citate a partire da sinistra). Completano l'ornamentazione due tondi con ritratti (n. 15) e altre figurazioni (n. 16).

7. ANNUNCIO A GIOACCHINO

af 230×250 c. 1280-83 c.

Lunettone sinistro, in alto. In pessime condizioni, come i n. 8-10; i quattro affreschi risultano grossolanamente e ampiamente ridipinti al punto da rendere pressoché impossibile la formulazione di un qualsiasi giudizio sulla pittura originale e quindi sull'autografia. Le composizioni appaiono anch'esse modificate, ove si tenga conto, come esattamente avverte il Nicholson, di alcune incongruenze con la corretta iconografia. I temi sono tratti dal *Protovangelo* di Giacomo. Nell'affresco in esame, un angelo scende da una montagna, apparendo a Gioacchino, seduto su una roccia; davanti al santo si scorgono ancora brani di pittura probabilmente relativi al gregge.

8. OFFERTA DI GIOACCHINO

af 250×250 c. 1280-83 c.

Lunettone sinistro, in basso. La composizione è dominata da un grande edificio ad arcate,

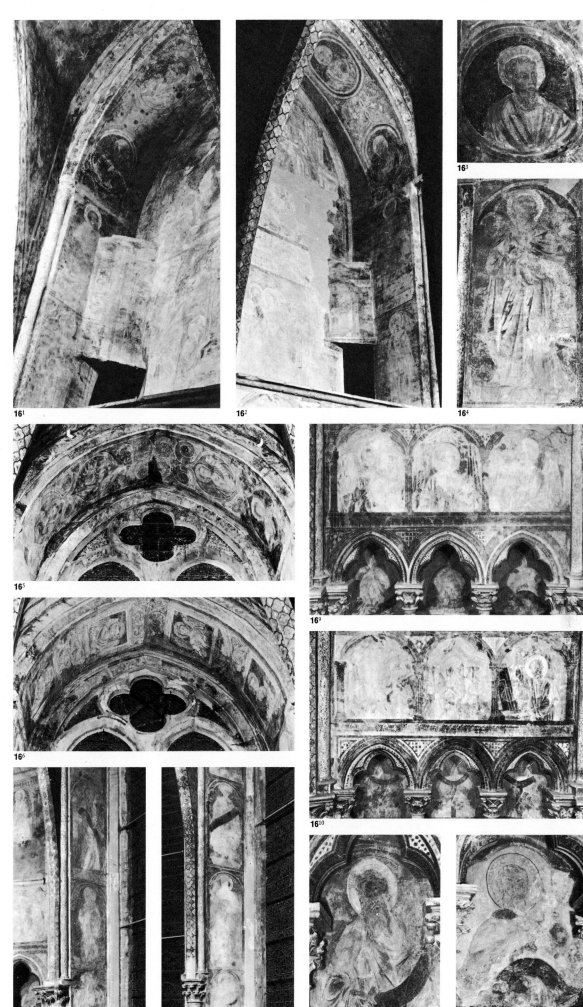

16¹   16²   16³   16⁴   16⁵   16⁶   16⁷   16⁸   16⁹   16¹⁰   16¹¹   16¹²

17-21 [Tav. XV-XVII C-D e XVIII C-D]

al centro del quale siede un personaggio nimbato; tre figure avanzano verso di lui. La scena, di non facile interpretazione, è stata di solito intesa, in base alla lettura fattane dal Thode, come l'*Offerta di Gioacchino* (per il Kleinschmidt e per la Zocca [1936] si tratterebbe invece della *Presentazione al tempio*). Secondo il Nicholson, il rifacitore avrebbe trasformato in angelo uno dei personaggi (il primo da sinistra) cambiando così la scena in una sorta di processione di angeli e santi. Un particolare che merita di essere rilevato, è che una mano della figura più vicina al santo, verso il centro, con il pollice molto allungato e ricurvo (foto 8[1]), è disegnata in maniera del tutto singolare, e in modo analogo alla mano di un *Profeta* (si veda alla foto 41 g[6]) dipinto nel transetto destro dell'anonimo artista settentrionale. Sarebbe perciò di grande interesse potere accertare, in sede di restauro, se questa mano appartenga o meno alla pittura originale. Si veda anche al n. 7.

9. NATIVITÀ DELLA VERGINE

af 230×250 c. 1280-83 c.

Lunettone destro, in alto. Su un letto disposto trasversalmente e affiancato da cortine, san-

t'Anna è semidistesa mentre le si accosta una figura femminile; nella zona inferiore, pressoché illeggibile, il Nicholson ritiene di poter scorgere due figure femminili nell'atto di fare il bagno alla Vergine. Si veda anche al n. 7.

10. SPOSALIZIO DELLA VERGINE

af 250×250 c. 1280-83 c.

Lunettone destro, in basso. Al centro, sotto un baldacchino sorretto da alcuni personaggi, sono raffigurati Giuseppe e la Vergine. Da notare come la testa di Giuseppe (foto 10[1]) sia il solo brano nell'àmbito della decorazione dei lunettoni che riveli caratteri cimabueschi; tuttavia, solamente un accurato restauro potrebbe offrire validi elementi orientativi per stabilire la paternità dei quattro affreschi. Si veda anche al n. 7.

11. TRAPASSO DELLA VERGINE

af 350×320 c. 1280-83 c.

Sulla parete sinistra. Ispirato, come i n. 12-14, alla *Legenda aurea* di Iacopo da Varagine. Tuttavia non tutto il ciclo risulta sempre fedele alla fonte letteraria; ciò venne rilevato dal Nicholson, ma un più dettaglia-

to esame dei nessi esistenti tra la *Legenda* e gli affreschi è stato condotto dallo Stubblebine ("BM" 1967), il quale fa notare come la corrispondenza tra testo letterario e testo pittorico non risulti esatta per quanto riguarda l'*Assunzione* e la *Vergine in gloria*. Il *Trapasso della Vergine* rappresenta uno dei saggi migliori delle capacità compositive di Cimabue; "certamente superiore alla contigua *Dormitio*, che è forse il capolavoro del ciclo" (Salvini, 1946). La composizione è delimitata in alto da una cornice architettonica trilobata, decorata a mosaico e poggiante su due colonne corinzie. Qui come in altri riquadri, l'artista offre un saggio di abilità compositiva nel disegnare in alto le mensole a mo' di blocchi inseriti illusivamente verso il fondo della parete. Ne trarrà senz'altro un suggerimento il pittore che disegnerà i troni, nella *Visione dei troni* pertinente al ciclo francescano affrescato nella navata. Entro l'incavo formato dal lobo centrale pendono le lampade di cui parla il testo di Iacopo da Varagine: sono tre, a uguale distanza l'una dall'altra. Alla rigorosa simmetria della parte superiore, fa riscontro la composizione romboidale che in basso solca lo spazio in senso obliquo. A destra, tracciato in maniera pressoché identica al san Pietro nella *Guarigione degli infermi* del transetto destro (n. 36), figura san Giovanni che annuncia il prossimo trapasso di Maria.

12. "DORMITIO VIRGINIS"

af 350×320 c. 1280-83 c.

Sulla parete sinistra. Segue il *Trapasso*, ma è meno leggibile di questo. La figura della Vergine è quasi del tutto scomparsa. L'inquadratura architettonica è identica a quella del riquadro precedente (un arco trilobato e mosaicato poggiante su colonne corinzie); ma diversamente da quanto avviene nel *Trapasso*, nella "*Dormitio*" lo spazio è totalmente occupato da angeli, da patriarchi e da santi. Anche il Cristo, che nell'iconografia tradizionale rimane generalmente isolato in alto mentre regge in braccio l'animula di Maria, qui è affiancato da altre figure. Ne consegue che il rapporto tra i due momenti — la morte e la rinascita —, uno naturale e l'altro soprannaturale, diviene più serrato e immediato, senza pause e senza distacco, e più recepibile quindi anche perché meno metafisicizzato dall'isolamento spaziale. La 'materializzazione' dei due momenti, resi più compatti attraverso il pieno di figure, unisce istantaneamente due episodi che il pensiero, per quanto indottrinato e sorretto dall'immaginazione, troverebbe difficoltà a intendere in maniera tanto repentina in tutta la loro evidenza. La figurazione, destinata anche a una larga massa di fedeli, riesce così a risolvere, empiricamente, un arduo dualismo.

13. ASSUNZIONE DELLA VERGINE

af 350×320 c. 1280-83 c.

Sulla parete destra. Pur molto deteriorata, è tuttavia leggibile nelle sue linee essenziali.

17[1] [Tav. XVII C]

19[1] [Tav. XVII D]

18[1] [Tav. XV]

18[2] [Tav. XV]

17 [Tav. XVII B-XVII C]

18 [Tav. XV]

19 [Tav. XVI e XVII D]

20 [Tav. XVII A]

7 (positivo invertito)

18 (positivo invertito)

19 (positivo invertito)

20 (positivo invertito)

La composizione si articola in tre larghe fasce orizzontali; in basso è il sepolcro scoperchiato ai cui lati stanno gli apostoli; al centro, tre file di personaggi nimbati, patriarchi, martiri e confessori; infine nella terza fascia, la più grande e la più suggestiva, il Redentore e la Vergine abbracciati entro una mandorla. Questa è sorretta da quattro angeli che si allungano fino ai margini della composizione: si tratta di un particolare stupendo (che purtroppo l'ossidazione delle biacche non consente di ammirare nella sua originale bellezza) rimeditato, ma in funzione di una più complessa invenzione compositiva, da figurazioni precedenti come, ad esempio, la placchetta in avorio del Museo del Castello di Milano (sec. VI) raffigurante due Vittorie alate che sostengono una corona di alloro intorno al simbolo di Costantinopoli. Diversamente da quanto sostiene il Beye (*Cimabue und die Dugentomalerei*, 1957) che considera la scena fedelmente ispirata al testo della *Legenda aurea*, lo Stubblebine ("BM" 1967) fa osservare che Cimabue, nel raffigurare questo episodio, anziché al passo relativo all'assunzione, ha attinto a quello in cui si descrive la resurrezione dell'anima della Vergine.

14. CRISTO E LA VERGINE IN GLORIA

af 350×320 c. 1280-83 c.

Sulla parete destra. Molto deteriorato. Compositivamente spettacolare per la massa monumentale del trono sul quale siedono la Vergine e il Redentore con il libro apocalittico in mano; ai due lati, figure nimbate disposte in ordine gerarchico decrescente, a partire dalla fila superiore formata da angeli; in basso, gruppi di francescani in preghiera. Il trono è decorato con motivi geometrici e vegetali, questi ultimi simili ad altri visibili nelle parti decorative del transetto. I piedi del Cristo, divaricati come nei *Crocifissi* di Cimabue, risultano alquanto più discosti, come quelli del Cristo apocalittico (n. 25). Alla medesima figurazione si richiama anche il panneggio della veste di Cristo; quella della Vergine appare sontuosamente ricamata. Il volto del Redentore, almeno per quanto è possibile desumere dalle attuali condizioni, denota una fiacca dolcezza piuttosto estranea alla poetica del maestro. Per il Nicholson (1932) questa scena è segnata da una varietà di fattori stilistici che inducono ad attribuire alcune parti sicuramente alla mano di Cimabue, altre ad aiuti ma sempre su disegno del maestro, ipotesi che riteniamo senz'altro di condividere; inoltre, la Madonna e gli angeli che le stanno accanto sarebbero da collegare alle analoghe figure della pala del Louvre (n. 45), dal Nicholson ritenuta di bottega. Secondo il Battisti (1963), il gruppo della Madonna con il Cristo sarebbe dovuto a un artista seneseggiante "forse da identificare con l'aiuto cui si devono gli angeli messaggeri delle vele". Il trono, di splendida magnificenza, assurge a segno tangibile di un rango superiore e as-

21¹

21²

21³

21⁴ [Tav. XVIII C]

21⁵ [Tav. XVIII D]

soluto: si tratta certamente del più spettacolare tra quelli inventati da Cimabue, ancor più spazioso e possente di quello — sebbene successivo e più rigorosamente costruito — della *Madonna* di Santa Trinita (n. 42). A diversi gradini, appare sensibilmente arcuato nelle fasce inferiori che s'imprimono nello spazio retrostante; ma è nella parte superiore, dove stanno la Vergine e il Redentore, che esso più decisamente forza lo spazio creando un vano a sé stante. Il White (1957), a proposito dello schema prospettico adottato da Cimabue nelle opere assisiati, giustamente fa rilevare come il maestro si sia giovato di un particolare metodo di costruzione delle figure nello spazio (dallo studioso definito "frontale-prospettico"), secondo cui due o tre solidi appaiono in piano, ma mostrando più facce, ognuna delle quali "appare di scorcio e in fuga prospettica come se penetrasse attraverso la superficie della composizione". E ad esempio emblematico adduce *La guarigione dello storpio* (35), dove però, aggiunge White, gli edifici sono scorciati non verso il centro ma in direzione opposta, in modo che vi è "la tendenza a leggere la composizione nel modo contrario a quello di una pittura rinascimentale che invece attira l'attenzione da tutti i lati verso il centro". Nel *Cristo e la Vergine in gloria*, l'assunto del White permane valido, ma la chiave di lettura si presenta piuttosto diversa; qui infatti, non avendo come punto di riferimento i tre edifici presenti nella *Guarigione dello storpio*, occorre assumere come elementi indicativi le fasce di figure a fianco del trono e i laterali dello stesso che, spinti in avanti rispetto alle figure della Madonna e di Cristo, vengono a determinare quello scorcio frontale-prospettico, che consente la penetrazione nella superficie. Inoltre, rispetto alla *Guarigione dello storpio*, un'altra differenza è rappresentata dalla cavità del trono che costituisce una digressione rispetto al metodo frontale-prospettico (anche se questo permane sempre come ideale schema strutturale): aperta al centro della composizione, se non risolve certo il problema della collocazione tridimensionale dell'oggetto nello spazio, senz'altro ne propone, qui in maniera evidentissima, la problematica, con "allusioni alla terza dimensione e con esse un nuovo calore di umana vicinanza" (Salvini). È da notare tuttavia che mentre le pareti interne dei bracci del trono paiono seguire una fuga di linee convergenti, per collocare le due figure principali in uno spazio verosimile l'artista deve ricorrere alla sistemazione in prospettiva obliqua della pedana. In ogni caso, il risultato conseguito da Cimabue sul piano della raffigurazione degli oggetti nello spazio è notevole; e al confronto di questo suo trono, quelli delle *Madonne* di Coppo e di Duccio restano cose arcaiche. Per quanto concerne l'aspetto iconografico, la scena è stata impropriamente intesa anche come *Incoronazione della Vergine*.

15. RITRATTI ENTRO CLIPEI

af 1280-83 c.

Sulla parete centrale. Si tratta di due tondi situati ai lati del trono papale; fra i due, una croce dipinta (foto 15^1-15^3), che rimane nascosta dalla parte superiore del trono. Generalmente considerati come i ritratti di Gregorio IX e di Innocenzo IV; per il Kleinschmidt raffigurerebbero invece due santi non identificabili. Nel tondo a destra risultano leggibili soltanto pochi panneggi e il copricapo; quello di sinistra è in discrete condizioni. Non presentano caratteri cimabueschi ove si escluda, nei panneggi, il marcato contrasto dei chiaroscuri, che mostra analogie con gli affreschi del transetto sinistro e con il maestro autore degli affreschi nella cripta del duomo di Anagni. Una certa relazione è possibile cogliere tra il volto del personaggio di sinistra e il volto del profeta dipinto alla destra della vetrata nel transetto destro (si veda al n. 41). Da sottolineare inoltre l'acutezza dello sguardo che lo accosta, sebbene con un anticipo di alcuni decenni, al santo vescovo dipinto nella cimasa del *Crocifisso* di San Tommaso dei Cenci (n. 81) per il quale questo può rappresentare, pur nella sua scarna asciuttezza, un valido punto di riferimento; inoltre, la rara vivacità nello sguardo che giustamente I. Toesca ("BA" 1966) ha rilevato nel santo di Roma, può trovare un precedente in questo più ascetico personaggio di Assisi.

16. Decorazioni

af 1280-83 c.

All'intorno delle raffigurazioni principali dei lunettoni, si svolge una sequenza di motivi ornamentali che portano soltanto vaghi riflessi dell'arte di Cimabue: nei sottarchi delle lunette (foto 16^1-16^4) e delle vetrate (foto 16^5-16^8) sono santi, angeli e profeti a mezzo busto entro medaglioni e a figura intera entro nicchie; nella fascia sottostante le 'storie' dei lunettoni, sulla parete sinistra (foto 16^9), la Vergine e ai lati due angeli, su quella destra (foto 16^{10}), la Madonna col Bambino, la Vergine con un libro in mano, un santo nell'atto di rompere un legno; nelle nicchie delle due loggette figura a mezzo busto (a sinistra, foto 16^{11} e 16^{12}). Un certo legame con il fare del maestro, è riscontrabile nei panneggi della figura di un profeta (foto 16^0), che si ritrovano anche abbastanza simili nei *Ritratti entro clipei* (n. 15), al centro dell'abside.

Volta centrale del transetto

17. SAN LUCA

af 450×900 c. 1280-83 c.

I quattro evangelisti *Luca* (n. 17), *Marco* (n. 18), *Matteo* (n. 19) e *Giovanni* (n. 20) sono dipinti nelle vele della crociera, su fondo oro, ciascuno con il proprio simbolo e, in prospetti sintetici, la città capitale dei paesi evangelizzati. In discrete condizioni, soprattutto per quanto riguarda i chiaroscuri che qui mantengono in parte i loro rapporti originali. In diversi punti sono visibili ampi fori dovuti all'installazione di reggilampade. Si tratta quasi certamente del primo lavoro, successivo alle 'storie' mariane, cui il maestro diede mano, e quello in cui egli dichiara in modo aperto il suo linguaggio pittorico e la sua complessa poetica, che qui assumono un tono particolarmente rigoroso e irruente. L'intervento di Cimabue in questa parte della Chiesa Superiore si attua in maniera clamorosa, in un momento critico, e certamente con il pieno avallo di coloro che nell'affidargli il prestigioso incarico erano edotti della statura e della natura dell'uomo al quale si erano rivolti. È forse il preciso momento in cui, in concomitanza alla piega presa da alcuni avvenimenti politici (si veda l'introduzione al ciclo), i rapporti tra Roma e Assisi si fanno sempre più scottanti; muovendosi quindi in una situazione di eccezionale apertura, Cimabue lancia da Assisi il proprio messaggio, razionalizzando al massimo i costrutti, plasticizzando le forme, rendendo più credibili i personaggi siano essi santi, francescani ovvero sgherri, dannati. Sul piano più specificamente storico-contingente, il maestro è polemico; e nelle vele appunto, egli avvia la propria requisitoria contro il più potente idolo della terra, contro la corte romana di papa Niccolò III; requisitoria che culminerà nel successivo ciclo apocalittico. Sul piano formale, al tradizionale fraseggio intessuto di modi precipuamente bizantini, elegantissimi ma ormai talmente sofisticati da rasentare uno sterile intellettualismo, Cimabue sostituisce la pienezza di una forma maturatasi nell'esperienza sia degli ultimi segni del romanico, sia, soprattutto, di quell'arte classica e neoellenistica alla quale aveva già mostrato di aderire, in una prova eccellente, nella Maestà della Chiesa Inferiore (n. 6). Nei quattro spicchi della volta avviene quindi lo "scoppio del fatto nuovo che determina il mutamento d'indirizzo" (Coletti).

Gli evangelisti sono raffigurati seduti davanti a uno scrittoio (quello di Giovanni si trova dietro al seggiolone su cui siede l'evangelista), ciascuno nell'atto di dar vita al proprio testo e nell'istante in cui vengono sfiorati da un angelo, l'uno del tutto simile all'altro, sì da risultare quasi delle copie. Magnifico il volto di san Luca (foto 17^1), colto nel momento in cui il pensiero si concentra sul racconto evangelico, un capolavoro di realismo senza precedenti, dichiarato dagli occhi penetranti, dalla bocca sensuale e carnosa, dal naso perfetto e vero; e sembra che non esista ombra alcuna di bizantinismo in questa immagine, che parrebbe Cimabue stesso mentre si accinge a lanciare la sua invettiva apocalittica. Risuonano perciò esatte le parole dell'abate Lanzi: "Fiero come il secolo in cui viveva, riuscì egregiamente nelle teste degli uomini di carattere, e specialmente dei vecchi, imprimendo loro un non so che di forte, e di sublime, che i moderni han potuto portar poco più oltre".

Copia ad acquerello del Ramboux relativa al n. 22 (Düsseldorf, Kunstmuseum, Kupferstichkabinett).

L'abilità inventiva e pittorica del maestro si dimostra perciò grandissima in queste vele. Valga di esempio la mano stupenda che fuoriesce con parte del braccio (foto 19^1) dalla veste di san Matteo: una forma immensa carezzata di struggente estetismo.

Lo schema generale delle quattro figurazioni (in cui appunto si inserisce l'innovazione cimabuesca) rimane tuttavia quello tradizionale trasmesso dall'arte bizantina e soprattutto carolingio-ottoniana. In proposito, è interessante osservare come gli elementi a rocchetto dei seggioloni (eguali a quelli dipinti da Cimabue nei troni delle sue *Madonne*), siano del tutto identici a quelli usati da alcuni miniaturisti carolingi, ad esempio dall'autore del *Vangelo dell'Incoronazione* della Schatzkammer di Vienna. Si tratta di un particolare che occorre non sottovalutare, per poter meglio approfondire le fonti della cultura cimabuesca, perché i nessi tra la pittura di Cimabue e l'arte carolingia sono da considerare fondamentali, anche per l'affinità esistente tra le rispettive poetiche, entrambe tese verso un rinnovamento su basi realistiche e umanistiche. A questa relazione, va però aggiunta quella, non secondaria, con la miniatura anglo-italiana che già a partire dall'VIII secolo, assunse un ruolo specifico nella traduzione in termini descrittivi e interpretativi, più che fantastico-simbolici, dell'oggetto da rappresentare. In proposito non va dimenticato che i due prototipi figurativi dell'*Apocalisse* erano, già al tempo di Carlo Magno, uno, appunto, di derivazione inglese, l'altro di derivazione italiana. E Cimabue, come risulta da precisi confronti, si ispirò per le scene apocalittiche alla versione inglese del racconto biblico. Otto Demus [*Bizantine Art and the West*, 1970] sottolinea l'importanza della componente bizantina nell'arte cimabuesca, e porta come esempio il *San Luca* della volta assisiate, ponendolo a confronto con l'analogo soggetto miniato nel Codice gr. 54 della Bibliothèque Nationale di Parigi (opera risalente al 1250-75 c.). In effetti, le somiglianze sono molte: la posizione della figura e il panneggio della veste, l'interesse per il geometrico comporsi degli oggetti, la profondità spaziale creata nelle nicchie in cui alcuni di quegli oggetti trovano posto, prova esemplare, quest'ultima, di una ricerca prospettica (analoga a quella che, con ben altri mezzi, verrà sviluppata e perfezionata nelle tarsie del Quattrocento), alla quale Cimabue mostra di interessarsi in maniera particolare anche altrove, ad esempio nella *Caduta di Babilonia* (n. 26). (Alla prospettiva cimabuesca, oltre al White [1957] ha dedicato di recente un breve ma utile studio H. Anderson [in *Giotto and His Time*, 1971]). Nelle vele di Assisi, l'impronta personale del maestro, rispetto ai precedenti bizantini, emerge comunque vistosa, anche per il grande risalto assunto dagli oggetti in virtù di quella singolare disposizione nello spazio, giustificata dal tipo di prospettiva a sghimbescio, cui fa cenno la Nyhlom (1969). Secondo il Nicholson, in queste scene si verificherebbe la continua ripetizione di un "angle curved" che costituirebbe il fondamento strutturale e unificante delle figure.

Il nesso con la produzione miniaturistica è ravvisabile anche nella caratterizzazione dei gesti degli evangelisti (il momento della lettura, il momento dello scrivere, il momento in cui viene sfogliato il libro, il momento in cui viene fissata la punta della matita appena temperata); tuttavia, l'apporto, inventivo e poetico, di Cimabue risulta immediatamente, non soltanto nel rilievo delle masse e dei volumi, ma anche nel rapporto assai stretto intercorrente (in misura assai più palese che nei precedenti bizantini) tra ciascun evangelista e una città della regione evangelizzata: "Ytalia", "Judea", "Asia", "Ipanacchia" (Grecia). Nelle città raffigurate, in base alla tradizione, gli evangelisti scrissero i propri testi: Roma per l'Italia, Gerusalemme per la Giudea, Corinto per la Grecia, Efeso per l'Asia. Secondo il Battisti, il riferimento ai quattro paesi citati sarebbe da porre in relazione con la missione svolta dai francescani sullo scorcio degli anni '70, una missione "notevolmente positiva" che si concluse verso il 1289. La Monferini accoglie la tesi del Battisti, aggiungendo che nelle figurazioni delle vele "è sottinteso un parallelismo tra l'e-

22 [Tav. XIX-XXII]

22 (part.)

22 (part.-positivo invertito)

22 (part.)

22 (part.)

22 (part.-positivo invertito)

22¹ [Tav. XXII] (positivo invertito)

Giovanni in Laterano, anche per certe analogie riscontrate con la veduta di Roma di Taddeo di Bartolo. La chiesa porta sulla facciata una figurazione sommariamente tracciata, come una sinopia (foto 18¹): Gesù in trono tra la Madonna e san Giovanni. Accanto è il Campidoglio, riconosciuto dal Brandi, che corresse l'identificazione inesatta rispettivamente dello Strzygowski con la chiesa di Santa Maria in Aracoeli, e del Vitzthum ("RFK" 1907) con il Palazzo del Laterano. Sull'edificio sono visibili tre stemmi della famiglia Orsini (foto 18²; per il problema dell'identificazione si veda la scheda introduttiva al ciclo) alternati a quattro scudi con la scritta "S.P.Q.

R.". Davanti al Campidoglio si erge imponente — è spazialmente, anche per la sua struttura, l'edificio più 'autonomo' — in tutta la sua altezza e situata vicinissima al tavolo dell'evangelista, la Torre delle Milizie appartenente agli Annibaldi. In basso, davanti alla torre, un'altra chiesa che lo Strzygowski non riuscì a identificare e che il Brandi e il Battisti dubitativamente ritengono trattarsi, rispettivamente, di San Pietro in Vaticano con il palazzo papale a fianco, e di San Giovanni in Laterano con il Sancta Sanctorum. Risalendo da destra verso il centro, possiamo riconoscere Castel Sant'Angelo (identificazione non accolta dal Nicholson che tuttavia non ne suggerisce altra), più in alto il Pantheon. Questa "pianta" di Roma riveste un'importanza di grande rilievo, anzitutto perché presenta una rassegna abbastanza fedele dei monumenti più prestigiosi della città al tempo di Cimabue, e in secondo luogo perché l'artista, mediante i simboli e gli accostamenti anzidetti (si veda la scheda introduttiva), colse l'occasione per avviare un discorso storico-politico. Non potendosi, ovviamente, parlare in questo caso di "pianta" nel senso odierno del termine, non si può concordare con lo Strzygowski nel ritenere Cimabue il creatore della moderna cartografia. Questa pianta (e ancor più le altre tre), pur presentando una sua veridicità ambientale e storica e pur assumendo, in conseguenza, un'importanza documentaria, resta ancora legata alla maniera sintetico-simbolica di accostare gli edifici di un complesso urbano propria dell'arte medioevale; una maniera d'altra parte, che permar-

tà dell'avvento di Cristo e la sesta età: il parallelismo dell'apostolato appunto [...]. Dunque Pietro Olivi ha probabilmente sovrainteso all'iconografia assisiate non soltanto del ciclo apocalittico, ma dell'intera decorazione del transetto, delle vele e forse dell'abside". Ogni città appare cinta da mura, in cui si apre una porta (nella vela con Giovanni questa è sormontata da un arco acuto con decorazioni arieggianti allo stile arabo; ha inoltre l'infisso aperto come nella porta dipinta nella *Caduta di Babilonia*). Nelle città dell'Asia, della Giudea e della Grecia, i monumenti raffigurati non sono facilmente riconoscibili, anzi spesso vi si inseriscono motivi architettonici tipicamente italiani: così nella vela con *San Luca*, dove il Salmi nota "un ambulacro fronteggiato da cu-

spidi arnolfiane", aggiungendo che qui, come nella vela con *San Matteo*, predominano sfaccettature di "essenza geometrica quasi cubista". Nella pianta di Roma dipinta nella vela di *San Marco* Cimabue ci offre invece un'utilissima documentazione di alcuni dei principali monumenti della città durante il Medioevo: questi, osserva il Battisti, "associati secondo un'ordinamento d'importanza

politica [...] si dispongono gli uni vicino agli altri secondo coerenti gerarchie dimensionali". All'identificazione degli edifici attese per primo lo Strzygowski, la cui indagine, solo in parte esatta, è stata recentemente perfezionata e ampliata dal Brandi e dal Battisti. A destra, in alto, è raffigurata una basilica che allo Strzygowski parve San Pietro in Vaticano, ma che il Brandi ritiene San

23 [Tav. XXIII-XXV]

24 [Tav. XXVI]

rà in Giotto e per tutto il Trecento, nonché per buona parte del Quattrocento. Ciò che invece è nuovo, e non è poco, in questa Roma cimabuesca, è l'intenzione manifesta di "far parlare" gli edifici, di assegnare loro cioè un significato preciso, sia nella scelta che nell'accostamento.

18. SAN MARCO
af 450×900 c. 1280-83 c.
Si veda al n. 17.

19. SAN MATTEO
af 450×900 c. 1280-83 c.
Si veda al n. 17.

20. SAN GIOVANNI
af 450×900 c. 1280-83 c.
Si veda al n. 17.

21. MOTIVI VEGETALI CON TESTE DI PUTTI E ANGELI REGGIVASO
af 1280-81 c.

Un interesse particolare presenta la decorazione dei costoloni che convergono nella volta centrale, sia per i nessi sia per le differenze rispetto ai costoloni della volta del transetto destro (si veda al n. 41). Le fasce dipinte (foto 21¹ - 21³) mentre riflettono sotto alcuni aspetti lo stile grafico più compiutamente espresso nella decorazione alta del transetto destro, nello stesso tempo se ne discostano, sia sul piano inventivo come su quello stilistico, per l'affiorare di una presenza romanica e romana. Invece dei grandi mascheroni troviamo, là dove la guglia rovesciata dello spicchio decorativo sta per chiudersi, angeli di chiaro impianto cimabuesco (e c'è chi ne attribuisce qualcuno allo stesso Cimabue: foto 21⁴; si confronti con quello dato alla foto 21⁵, di altra mano); impianto che si dichiara nei panneggi e nel luminismo cromatico, sebbene i volti tradiscano anche l'intervento di un pittore romano-ellenistico. Gli angeli reggono sulle spalle enormi vasi da dove si diparte una decorazione formata da foglie d'acanto che avvolgono teste di putti, mentre di fianco, in una diversa fascia, altre foglie fan da cornice a teste di angeli. In definitiva, anche se l'impianto delle due volte (centrale e destra) permane architettonicamente simile, né potrebbe essere diversamente, nelle fasce centrali la decorazione si arricchisce di motivi più festosi e meno emblematici. Al decorativismo fine a se stesso della volta settentrionale (come il magma vegetale che corre nei sottarchi delle lunette), ne viene sostituito un altro, pervaso di spunti classici, di più reali immagini (l'oggetto plasmato dall'uomo, il vaso, le figure e i volti umani), proprio mentre i soli volti umani che appaiono nell'altra decorazione, i mascheroni, pur nella loro stupenda forbitezza formale, son cose tutte affatto emblematiche, inaccessibili, e recepibili solamente come terrifici fantasmi.

Per quanto riguarda l'attribuzione in genere, la critica più recente, pur non soffermandovisi estesamente, propende ad assegnare a Cimabue l'impianto generale della composizione, e ad aiuti l'esecuzione vera e propria, anche se in qualche singolo brano, come si è visto, alcuni hanno ritenuto di scorgere la mano stessa del maestro. Per considerazioni generali circa l'ornamentazione, si veda anche al n. 31.

Transetto sinistro

Nella zona bassa delle pareti si susseguono, a partire da sinistra: la grande *Crocifissione* (n. 22), sulla parete sinistra; la *Visione del trono* (n. 23), la *Visione degli angeli ai quattro canti della terra* (n. 24) e il *Cristo apocalittico* (n. 25), sulla parete centrale; la *Caduta di Babilonia* (n. 26) e *San Giovanni e l'angelo* (n. 27), sulla parete destra. Quasi completamente perduta è la raffigurazione del lunettone sinistro (n. 28); rimangono invece diverse parti di *San Michele e il drago* (n. 29), nel lunettone destro. L'ornamentazione è completata da fasce decorate con motivi vegetali e geometrici (n. 30) e da serie di *Angeli* (n. 31-34).

22. CROCIFISSIONE
af 350×690 c. 1280-83 c.

Situata sulla parete sinistra in corrispondenza della seconda *Crocifissione* (n. 40), sulla parete destra del transetto. Lo stato di conservazione è pessimo, sia per le abrasioni sia per l'annerimento dei chiari; dei colori originali non rimane pressoché niente. Si leggono tuttavia le linee compositive della scena, le sagome dei volti e dei panneggi che si presentano simili più a una sinopia che a un dipinto. Nonostante il fenomeno dell'inversione dei chiaroscuri risulti particolarmente esteso, nella zona inferiore destra esiste ancora qualche brano con i colori originali. È qui appunto, eccezionale non soltanto per l'invenzione compositiva e il turgore delle masse, ma anche e soprattutto per la raffinatezza cromatica, che si trova il frammento di gambe fasciate da calze solate e di piedi in parte nudi nel gruppo della folla a destra (tav. XX-XXI). Il rosa delicatissimo è accostato all'ocra e al verde marcio e al marrone, e l'effetto che ne deriva è di una imprevista magnificenza pittorica. Questo piccolo brano di forme e di colori può tra l'altro fornire l'idea di ciò che in origine doveva risultare l'affresco anche sul piano cromatico; e aiutare inoltre, se l'accostiamo a quanto rimane ancora nel transetto e nel coro di figure e di colori originali, a dare un'immagine della decorazione superba in questa parte della basilica; forse la più straordinaria visione di forme e di splendori che artisti siano mai riusciti ad attuare.

Eseguita in un momento di particolare impegno culturale e di felice progressione stilistica da parte dell'artista, ricca com'è delle più prestigiose esperienze figurative del tempo, di cui offre insieme la sintesi e il superamento, la *Crocifissione* contiene il più alto messaggio morale e poetico di Cimabue. Sull'autografia di quest'opera, sempre esaltata dai critici, non sono mai state avanzate riserve, ove si escludano coloro che negarono l'intervento di Cimabue nella Basilica Superiore (ma si veda quanto è riferito qui nell'introduzione al ciclo).

Si tratta di un'opera che scuote intensamente: essa è tragica e solenne, fantasiosa e di rigorosi contrappunti, concitatamente espressiva e classica, tradizionale e innovatrice, teatrale e reale, ma è soprattutto denuncia impetuosa che esclude la rassegnazione, e la soluzione, perché nel momento in cui l'opera prende forma il dramma rimane intenso come proiezione di una problematica sempre attuale. "Non è più il Crocifisso", scrive A. Venturi, "con ai lati le figure simmetriche del portaspugna e del portalancia, né quello con le istorie del suo martirio su un cartellone! Nuova è la scena, in cui il dolore e l'odio irrompono da anime forti, le grida contrastano roboanti, i sentimenti si urtano nella tempesta del cielo e della terra". Il Cristo, rispetto agli altri di Cimabue, assume particolare fisionomia. Il capo non è del tutto adagiato sulla spalla come nei *Crocifissi* di Arezzo e di Firenze (n. 4 e 43) ma resta alquanto proteso in avanti e così le braccia che si staccano dalla croce invece di stendersi orizzontalmente sul legno. La curva del corpo è ampia secondo lo schema solito di Cimabue, ma dove si ha un mutamento è nel perizoma, che si prolunga in una lunga coda fino a toccare la mano tesa del centurione; in questo particolare stilistico è possibile scorgere un riflesso della maniera dell'artista gotico operoso nel transetto destro (foto 41 g¹) che tuttavia Cimabue rende con un impressionante vibrare di fasce e di scanalature. La composizione risulta divisa sistematicamente in cinque parti: al centro la grande croce che taglia e definisce lo spazio; in alto, ai lati, i due gruppi di angeli che piangono; in basso, sempre in precisa rispondenza, la medesima quantità di spazio viene occupata dalla folla dei dolenti a sinistra, dalla folla farisaica a destra. Il braccio del centurione e di un altro personaggio fanno da *pendant* alle braccia tesissime che ci trasmettono l'emozione esasperata della Maddalena. I due gruppi si accalcano, mormorano, commentano. In quello a destra, dietro il centurione, un volto giovanile parzialmente rovinato (si veda la foto invertita 22¹) è quasi identico alla testa di giovane nel mosaico con l'*Imposizione del nome al Battista* (n. 5) nel Battistero di Firenze; un particolare che dev'essere rilevato nel medesimo gruppo è un volto (qui riprodotto a pag. 83), completamente diverso da tutti gli altri, che per l'accentuata notazione realistica, potrebbe far pensare, come propone il Bat-

26¹

26² [Tav. XXIX]

24 (part.)

25 (part.)

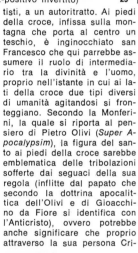
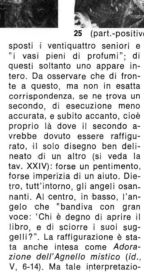

24 (part.-positivo invertito) 25 [Tav. XXVII-XXVIII] 25 (part.-positivo invertito)

tisti, a un autoritratto. Ai piedi della croce, infissa sulla montagna che porta al centro un teschio, è inginocchiato san Francesco che qui parrebbe assumere il ruolo di intermediario tra la divinità e l'uomo, proprio nell'istante in cui ai lati della croce due tipi diversi di umanità agitandosi si fronteggiano. Secondo la Monferini, la quale si riporta al pensiero di Pietro Olivi (*Super Apocalypsim*), la figura del santo ai piedi della croce sarebbe emblematica delle tribolazioni sofferte dai seguaci della sua regola (inflitte dal papato che secondo la dottrina apocalittica dell'Olivi e di Gioacchino da Fiore si identifica con l'Anticristo), ovvero potrebbe anche significare che proprio attraverso la sua persona Cri-

sto sarebbe stato crocifisso una seconda volta. Tale interpretazione potrebbe spiegare inoltre il ripetersi del motivo della crocifissione nel transetto destro, secondo lo schema generale ideato da Cimabue.

23. LA VISIONE DEL TRONO E IL LIBRO DEI SETTE SIGILLI

af 350×300 c. 1280-83 c.

Dall'*Apocalisse* (IV, 2-4): "E subito io fui rapito in ispirito; ed ecco, un trono era posto nel cielo, e in sul trono v'era uno a sedere. / E colui che sedea era nell'aspetto somigliante ad una pietra di diaspro e sardia; e intorno al trono v'era l'arco celeste somigliante in vista ad uno smeraldo. / E intorno al trono vi erano ventiquattro tro-

ni, e in su i ventiquattro troni vidi sedere i ventiquattro vecchi, vestiti di vestimenti bianchi, e aveano in sulle lor teste delle corone d'oro". È una delle scene più complesse da interpretare dal punto di vista iconologico-simbolico. In alto, al centro, è raffigurato il trono su cui è adagiato il Bambino; dietro al trono, a sinistra, il libro dei sette sigilli; intorno, tra cerchi, i quattro simboli apocalittici di cui uno, il vitello, quasi completamente scomparso. ("E il primo animale era simile ad un leone e il secondo animale simile ad un vitello, e il terzo animale avea la faccia come un uomo, e il quarto animale era simile a un'aquila volante", *id.*, IV, 7). Intorno alla mandorla col trono, ripetendone il motivo ovoidale, sono di-

sposti i ventiquattro seniori e "i vasi pieni di profumi"; di questi soltanto uno appare intero. Da osservare che di fronte a questo, ma non in esatta corrispondenza, se ne trova un secondo, di esecuzione meno accurata, e subito accanto, cioè proprio là dove il secondo avrebbe dovuto essere raffigurato, il solo disegno ben delineato di un altro (si veda la tav. XXIV): forse un pentimento, forse imperizia di un aiuto. Dietro, tutt'intorno, gli angeli osannanti. Al centro, in basso, l'angelo che "bandiva con gran voce: 'Chi è degno di aprire il libro, e di sciorre i suoi suggelli?'". La raffigurazione è stata anche intesa come *Adorazione dell'Agnello mistico* (*id.*, V, 6-14). Ma tale interpretazione non è da ritenere propria-

mente esatta, anche se i due motivi, dell'Agnello e del Bambino, simbolicamente si identificano *tout court* (Coletti, Salvini, Zocca; quest'ultima scrive anzi che sul trono è raffigurato l'Agnello). D'altra parte, la presenza del Bambino è inconsueta, giacché il citato passo dell'*Apocalisse*, alludente all'attesa del giudizio finale in presenza di Dio, viene reso simbolicamente nella tradizione iconografica bizantina detta dell' 'etimasia' (letteralmente, 'l'apprestamento del trono'), con la raffigurazione del trono su cui poggiano o la croce e il libro delle Sacre Scritture, o il Cristo: *Etimasia* viene infatti definita la composizione cimabuesca dal Nicholson, che si vale di un suggerimento dello Zimmermann, e dal Battisti;

[Tav. XXIX] 27

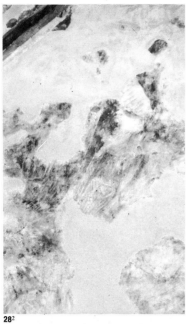

28¹ [Tav. XVIII A]   28²   28³ [Tav. XVIII B]

29

29¹

29²

l'inconsueta presenza del Bambino sarebbe giustificata dalla particolare devozione nei suoi confronti da parte di san Francesco. Si tratta tuttavia di una spiegazione non esauriente; più convincente potrebbe risultare quella offerta dalla Monferini, che propone un rapporto di parallelismo tra Gesù e san Francesco e, più simbolicamente, tra prima e sesta età, con riferimento al pensiero del gioachimita Pietro Olivi (secondo l'interpretazione data da Gioacchino da Fiore nella sua *Expositio super Apocalypsim* al testo di san Giovanni, in base alla quale la storia dell'umanità si compie in sette periodi attraverso gravi tribolazioni che condurranno al trionfo della verità e dell'amore). Per il resto, la raffigurazione cimabuesca è del tutto aderente al testo apocalittico.

24. LA VISIONE DEGLI ANGELI AI QUATTRO CANTI DELLA TERRA

af 350×300 c. 1280-83 c.

Dall'*Apocalisse* (VII, 1-3): "E dopo queste cose, io vidi quattro angeli che stavano in piè sopra i quattro canti della terra, acciocché non soffiasse vento alcuno sopra la terra, né sopra il mare, né sopra alcun albero. / Poi vidi un altro angelo, che saliva dal sol levante, il quale aveva il suggello dell'Iddio vivente; ed egli gridò con gran voce a' quattro angeli, a' quali era dato di danneggiar la terra ed il mar / dicendo: Non danneggiate la terra, né il mare, né gli alberi, finché noi abbiam segnati i servitori dell'Iddio nostro in su le fronti loro". La metà superiore dell'affresco è quasi del tutto scomparsa: restano soltanto parti delle montagne, alcuni alberi e il frammento di un angelo (in alto, verso sinistra) che lo Zimmermann e il Nicholson hanno interpretato come san Francesco nell'atto di ammonire. Per la Monferini, la suddetta ipotesi potrebbe dimostrare il ruolo primario che, nella concezione cimabuesca-oliviana, viene ad assumere sempre san Francesco "quale protagonista della sesta età, ossia del rinnovamento evangelico" (si veda anche al n. 23).

Si tratta di uno dei pochi riquadri in cui i colori non hanno sofferto eccessivamente (solo nelle figure degli angeli si è verificato il fenomeno dell'inversione dei chiaroscuri); predominano il rosa acceso, il giallo e il verde marino. Al centro, è una città fantastica composta da caseggiati le cui forme e i cui tagli prospettici vedremo ripresi, sia pure con primi piani più realistici, nel *San Pietro che guarisce lo storpio* (n. 35). I confini della città sono delimitati da alte mura merlate, disposte in sequenza di linee spezzate; accorgimento che produce una discontinuità spaziale e, di conseguenza, una maggiore penetrazione delle masse e in profondità. In primo piano — ciascuno appoggiato a un 'canto' — i quattro angeli che rattengono i venti nei corni: disegnati con impeto, fantomatici, impressionanti e stravolti; posano i piedi nudi a terra (nascosti purtroppo dalle cuspidi del coro), sotto le mura merlate.

25. CRISTO APOCALITTICO

af 350×300 c. 1280-83 c.

Dall'*Apocalisse* (VIII, 1-5): "E quando venne aperto il settimo suggello, si fece silenzio nel cielo lo spazio d'intorno ad una mezz'ora; / ed io vidi i sette angeli, i quali stavano in piè davanti a Dio, e furono loro date sette trombe. / E un altro angelo venne, e si fermò appresso l'altare, avendo un turibolo d'oro; e gli furono dati molti profumi, acciocché ne desse alle orazioni di tutti i santi, sopra l'altar d'oro ch'era davanti al trono. / E il fumo dei profumi dati alle orazioni dei santi salì, dalla mano dell'angelo, nel cospetto di Dio. / Poi l'angelo prese il turibolo, e l'empié del fuoco dell'altare, e lo gettò nella terra; e si fecero suoni, tuoni, e folgori, e tremoto". La composizione, sotto molti aspetti analoga a quella dei contemporanei *Giudizi universali* (in tal modo è stata infatti erroneamente interpretata da alcuni studiosi; ma si veda la descrizione nell'*Apocalisse*, XX, 11-15, oltre che nel *Vangelo* di Matteo, XXV, 31-46), presenta al centro, entro una mandorla, il Cristo apocalittico circondato dai sette angeli con le tube, tre a destra e quattro a sinistra. Sotto il Cristo è un altare sul quale a stento ormai si possono riconoscere la lancia e la canna, simboli della passione; a destra, un angelo agita un turibolo (della zona

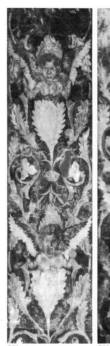

30¹   30²

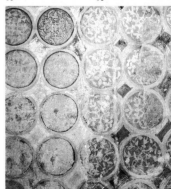

30³

31¹

31²

32¹   32²   32³

103

mediana, a sinistra, non rimane nulla); in basso, a destra e a sinistra, la folla degli eletti ("ed ecco una turba grande, la quale niuno poteva annoverare, di tutte le nazioni, e tribù e popoli e lingue i quali stavano in piè davanti al trono", *Apocalisse*, VII, 9). Ancor più in basso, nascosti dalle cuspidi del coro, due santi inginocchiati:

33¹

33²

33³

quello a sinistra è Francesco, quello a destra probabilmente Bonaventura; di esecuzione grezza, sono da riferire a un aiuto. Il Longhi (1948) ravvisa in questo affresco l'intervento di Duccio (nel Cristo e negli angeli tubicini). La Monferini rileva che i personaggi sono raffigurati in abito francescano, e ciò confermerebbe ancora una volta la relazione del ciclo apocalittico con il pensiero gioachimita, che considera gli spirituali francescani come i trionfatori della settima età (si veda anche al n. 23). Riteniamo di poter aggiungere che questo innovare la storia sacra immergendola nella sfera dell'attualità, è certamente uno degli aspetti più essenziali e moderni dell'arte di Cimabue. Sul piano stilistico, particolare importanza assume la figura di Cristo; i panneggi, ottenuti con marcati contrasti di luce e ombra, sono taglienti, ma anche corposi alla maniera classica, e diversi da quelli pastosi e morbidissimi del Cavallini; somigliano invece maggiormente ai modi neoellenistici del maestro che dipinge la *Cattura di Cristo* nella navata sinistra (n. 78); in questo fondamentale affresco, il volto del Cristo tradito sta a mezza via tra il volto del Cristo apocalittico di Cimabue e quello del Cristo giudice del Cavallini (n. 89).

26. LA CADUTA DI BABILONIA

af 350×350 c. 1280-83 c.

Il tema è collegabile a due passi dell'*Apocalisse*: "Poi, il settimo angelo versò la sua coppa nell'aria; e una gran voce uscì dal tempio del cielo, dal trono, dicendo: è fatto. / E si fecero folgori, e tuoni, e suoni, e gran tremoto; tale che

non ne fu giammai un simile, né un così grande, da che gli uomini sono stati sopra la terra. / E la gran città fu divisa in tre parti, e le città delle genti caddero; e la gran Babilonia venne a memoria davanti a Dio, per darle il calice dell'indegnazione della sua ira" (XVI, 18-19); "Vidi un altro angelo che scendeva dal cielo, il quale avea gran podestà; e la terra fu illuminata dalla gloria d'esso. / Ed egli gridò di forza, con gran voce, dicendo: Caduta, caduta è Babilonia, la grande; ed è divenuta albergo di demoni, e prigione d'ogni spirito immondo, e prigione d'ogni uccello immondo e abbominevole" (XVIII, 1-2). Si tratta della scena più spettacolare del ciclo apocalittico, benché molto rovinata e con grandi lacune soprattutto nella zona superiore. Da ciò che resta, è tuttavia possibile cogliere pienamente il senso tragico di rovina, e di malessere, impressovi da Cimabue. È indubbiamente anche la raffigurazione più ricca di significati, sui quali però la critica non si trova del tutto concorde. Le architetture in basso ripetono, con variazioni, lo schema delle mura rientranti che si è già osservato nella *Visione degli angeli* (n. 24) "secondo un illusionismo scenico, da pittura pompeiana" (Salvini); nelle due pareti riprodotte frontalmente, a destra e a sinistra, si aprono finestre dipinte come in una tarsia rinascimentale; sopra, l'ammasso degli edifici che crollano. In alto, a sinistra, si scorge l'angelo che vien fuori dai sette cerchi. Al centro della scena, in basso, è raffigurato un volatile (foto 26¹) e, di fronte, una figura dai connotati ibridi, simile a un orso (foto 26²); dietro a questa, s'intravedono frammenti di altre fi-

gure non identificabili; fra il volatile e l'orso, una figura prona, anch'essa non identificabile: "strani animali antidiluviani", li definì il Coletti. Il Thode credette di ravvisare nelle figure a sinistra caricature di personaggi; il Kleinschmidt e la Zocca, un 'cane muto', simbolo del male; il Nicholson, delle immagini demoniache. Il Battisti parla per primo di un demone "a mo' di orso peloso"; identificazione che può convincere, e viene accettata anche dalla Monferini. L'orso (due, secondo la precisazione della Monferini) costituirebbe però anche un'allusione alla

famiglia Orsini cui apparteneva Niccolò III, considerato dalla letteratura gioachimita, e poi dallo stesso Dante, esponente della corruzione della Chiesa romana. Tale interpretazione trova avallo in una raccolta di testi, contenente la vita dei papi e risalente al 1278, in cui Niccolò III viene raffigurato in veste pontificale con "duo catuli Ursini" accanto (Grundmann, "AK" 1928). Interessante notare come Cimabue per ben due volte abbia fatto riferimento agli Orsini; la prima nella pianta di Roma dipinta nella volta (n. 18), la seconda nella *Caduta di Babilonia*; una

34¹

35 [Tav. XXX]

36 [Tav. XXXI]

36 (part.) [Tav. XXXI]

volta per rendere omaggio al senatore Orsini 'deviazionista', l'altra per imprimere un marchio feroce sul papa simoniaco. Non è poi da escludere che in questo secondo caso Cimabue sia ricorso alla simbologia (pressoché inaccessibile al popolo, ma ben chiara a chi gli premeva che ne intendesse il significato) al fine di evitare che i riferimenti riuscissero troppo facilmente comprensibili e che gli affreschi quindi venissero manomessi o addirittura distrutti. Per quanto riguarda il grande volatile situato al centro dell'affresco, la critica ha ritenuto trattarsi di uno struzzo, simbolo di eresia secondo Thode, Van Marle, Kleinschmidt e Nicholson, simbolo del male secondo Zimmermann, Zocca e Battisti. La Monferini ritiene che possa trattarsi di un ibis che "ritratto in atteggiamento di preminente dominio sulle rovine della città, potrebbe alludere alla vittoria dello Spirito Santo".

27. SAN GIOVANNI E L'ANGELO

af 350×265 c. 1280-83 c.

In condizioni disastrose: riesce estremamente difficile identificarne i motivi e perciò anche i significati. È possibile scorgere, al centro, una grande roccia su cui stanno un vecchio (non si comprende se seduto o in altra posizione) e un angelo che indica con il braccio destro invece una distesa d'acqua: si tratta probabilmente dell'angelo di cui si parla nella parte finale dell'*Apocalisse* ("ed egli mi trasportò in ispirito sopra un grande ed alto monte", XXI, 10; "e poi egli mi mostrò un fiume puro d'acqua di vita, chiaro come cristallo, il qual procedeva dal trono di Dio e dell'Agnello", XXII, 1). È il momento in cui si annuncia la nuova Gerusalemme, dopo le tribolazioni che hanno portato alla sconfitta dell'Anticristo e alla caduta di Babilonia (qui, plausibilmente, con riferimento alla funzione rinnovatrice dei francescani e alla corruzione della Chiesa). Si tratta quindi, verosimilmente, dell'episodio finale del ciclo, secondo l'ipotesi già avanzata dalla Monferini, che però lo riferisce a un altro passo dell'*Apocalisse* (XXII, 8): "ed io Giovanni sono quello che udii queste cose. E quando ebbi visto e udito, mi prostrai ai piedi dell'Angelo, che mi mostrava tali cose, per adorarlo". Thode collega invece l'affresco al capitolo XVIII, 2: "un possente angelo levò una pietra grande come una macina e la gettò nel mare, dicendo: così sarà con impeto gettata Babilonia", ipotesi non del tutto da scartare data la vicinanza della raffigurazione a quella della rovina di Babilonia. Infine lo Zimmermann, seguito da tutti gli altri critici moderni identifica l'episodio come san Giovanni in Patmos: "Io Giovanni [...] era nell'isola chiamata Patmos [...] udii dietro a me una gran voce come d'una tromba" (*Apocalisse*, I, 9-10); in tal caso la scena dovrebbe essere considerata come quella iniziale del ciclo e non finale. Tale proposta sembra tuttavia poco convincente, anche per la presenza dell'angelo, che non appare nel passo citato. L'Aubert riferisce che padre Angeli in base a una scritta leggibile in calce all'affresco ("JO[am]ES PAT[mos]") è stato il primo a proporre l'identificazione con san Giovanni in Patmos; ma il Kleinschmidt accertò che la suddetta scritta, come un'altra, frammentaria, in calce alla vicina *Caduta di Babilonia*, va considerata posteriore all'esecuzione dell'affresco.

28. CRISTO IN GLORIA (?)

af 650×700 c. 1280-83 c.

Ove si escluda il Kleinschmidt, che annota di sfuggita — e tuttavia questo semplice accenno avrebbe dovuto già fornire una indicazione precisa — l'esistenza di un frammento, i descrittori della basilica e gli studiosi di Cimabue hanno sempre considerato l'affresco completamente distrutto. Alcune parti della composizione risultano, invece, ancora ben leggibili: nella zona sinistra, in basso, un grande frammento di ali magnificamente colorato di azzurro, di giallo e di rosso (foto 28[1]); dal lato opposto, un altro brano, un composto di ali piumate, con predominanza di azzurro vivo e verde (foto 28[3]); al centro, in alto, il frammento di un'aureola e di un volto da dove si diparte una spalla (foto 28[2]); quest'ultimo frammento appartiene alla figura principale della scena. Dovendosi basare su questi pochi brani, qualsiasi proposta per identificare la composizione originale potrebbe risultare arbitraria. Soltanto in via di ipotesi, perciò, si avanza il suggerimento che l'affresco, situato nella parte superiore della parete sulla quale Cimabue dipinse la *Crocifissione*, potesse rappresentare Cristo in gloria. La figura del Redentore doveva occupare tutta la zona centrale della lunetta; ai lati, grandi angeli; in basso, a destra, avrebbe potuto anche essere raffigurato il demonio vinto, a tangibile dimostrazione della gloria di Cristo, e ciò in perfetta aderenza alla simbologia cimabuesca,

36 (part. positivo invertito)

che dialetticamente lascia emergere sempre, in questa parte del transetto, il trionfo della verità sull'errore. È da aggiungere che in una vecchia incisione riproducente l'interno della chiesa (si veda a pag. 89, in alto), sia pur tenendo conto del carattere approssimativo che presentano di solito tali incisioni, si trova rappresentata nella lunetta una grande figura tra angeli, certo quanto l'incisore poté genericamente cogliere della pittura superstite. Sembra da escludere, infine, che la scena potesse avere per oggetto l'*Assunzione*, nonostante uno degli altari già esistenti nel transetto fosse dedicato alla Madonna, anche perché è nell'abside che le 'storie' mariane trovano il loro esaustivo svolgimento.

29. SAN MICHELE E IL DRAGO

af 650×700 c. 1280-83 c.

Dall'*Apocalisse* (XII, 7-9): "E poi si fece battaglia nel cielo; Michele, e i suoi angeli, combatterono col dragone; il dragone parimenti e i suoi angeli combatterono; / ma non vinsero, e il luogo loro non fu più trovato nel cielo. / E il gran dragone, il serpente antico, che è chiamato Diavolo e Satana, il qual seduce tutto il mondo, fu gettato a terra; e furono con lui gettati ancora i suoi angeli". L'affresco, molto deteriorato, venne rimosso 'a strappo' e riportato su doppia tela di canapa. Da ciò che rimane, è possibile identificare l'arcangelo Michele mentre insieme a due angeli trafigge il drago, di cui si scorge ancora la sagoma che occupa gran parte della fascia orizzontale e, dietro a esso, ancora ben leggibili, stupende figure demoniache (foto 29[1]). Le figure degli angeli hanno come fondo i cerchi celesti; nella zona sottostante si allarga il viluppo del drago e dei demoni che precipitano. I caratteri cimabueschi sono assai evidenti e risaltano in modo particolare nei volti degli angeli e nei panneggi. I resti dell'affresco furono letti in modo alquanto diverso dai copisti ottocenteschi Ottley (in D'Agincourt, *Storia dell'arte*, 1826; foto 29[1]) e Ramboux (acquerello, Düsseldorf, Kunstmuseum, Kup-

37[1]

37[3]

37[4]

38[1]

38[2]

39[1]

ferstichkabinett; foto 29²); quest'ultimo ne offre una ricostruzione completa, nella quale risultano raffigurati ben diciassette demoni. I raffronti variamente proposti con gli affreschi di analogo soggetto in San Pietro al Monte a Civate e nella cappella Velluti in Santa Croce a Firenze (n. 73-74), non trovano valido fondamento, trattandosi in entrambi i casi di composizioni completamente diverse. Quanto alle analogie che il Kleinschmidt volle vedere tra gli angeli e quelli della fascia inferiore del *Giudizio universale* di Pietro Cavallini (n. 89), non sembrano rintracciabili. Il Thode, tiene a sottolineare il significato anticlericale del ciclo apocalittico, e fa osservare come san Michele venga spesso identificato con san Francesco, qui simbolicamente visto nel ruolo di mediatore a cospetto della tragedia apocalittica. Lo studioso ritiene inoltre che l'intero ciclo sia dedicato a san Michele, l'arcangelo cui i francescani erano particolarmente devoti e al quale — come riferisce il Kleinschmidt e come risulta dall'incisione qui riprodotta (pag. 88) — nell'abside era dedicato un altare insieme a quelli della Madonna e di san Pietro.

30. MOTIVI VEGETALI CON BUSTI DI ANGELI E MOTIVI GEOMETRICI

af 1280-83 c.

Bande decorate con elementi vegetali fra cui sono incastonati busti di angeli (foto 30¹-30²) separano ogni riquadro delle 'storie' apocalittiche dal successivo; al di sotto di queste, corre (per tutto il transetto e l'abside, ma quasi interamente ricoperta dal coro) un'ampia fascia con serie iterate di cerchi e altri motivi geometrici (foto 30³). L'esecuzione sembra riferibile alla scuola. Per il discorso generale riguardo ai motivi ornamentali, si veda al n. 31.

31. ANGELI ENTRO LOGGETTE

af 1280-83 c.

Si tratta di una sequenza di sei angeli situati nella fascia decorativa immediatamente soprastante alla loggia sia sulla parete di destra (foto 31¹) sia su quella di sinistra (qui ne resta soltanto uno, danneggiato: foto 31²). Eseguiti da Cimabue e, in gran parte, da aiuti, appaiono più plasticamente composti di quanto non siano i loro simili circoscritti entro tondi nel transetto destro (n. 41); la netta differenza fra i motivi decorativi dei due transetti risulta infatti immediatamente percepibile. Come puntualizza il Coletti: "Le loggette del transetto meridionale denunciano un radicale mutamento nell'indirizzo della decorazione. Basta vedere come il verticalismo diligentemente ricercato nel transetto settentrionale, per le cuspidi acutissime, per gli agili campanili, ceda di colpo, nel meridionale [...]. A sottolineare ancor più questa indipendenza della pittura dall'architettura, le figure dipinte nella parete di fondo, sotto una di queste loggette, tra Arcangeli maestosi, non corrispondono ai vani degli archi, e sono in parte nascoste dalle colonnine divisorie". E nella fondamentale diversità riscontrata

37

38 [Tav. XXXII]

39

37²

38³ [Tav. XXXII]

38⁴ [Tav. XXXII]

39²

105

fra i due transetti lo studioso scorge l'impressivo manifestarsi dell'opera di Cimabue (il cui primo apparire egli tuttavia ritiene essere avvenuto poco prima nelle vele della crociera centrale con i quattro evangelisti). Se l'architettura delle due logge è uguale a quella del transetto destro (per cui si veda al n. 41), l'architettura dipinta muta radicalmente: alle guglie gotiche vengono sostituite finte nicchie trilobate poggianti su colonne, esattamente uguali alle più ampie architetture finte che nel coro inquadrano alcune 'storie' della Vergine. Inoltre, sembra che l'artista insista qui nell'eliminare ogni parvenza di decorazione gotica (anche se ad essa consentirà che non si rinunci nella decorazione dei costoloni confluenti nelle vele centrali), ricorrendo esclusivamente a motivi astratti, come alcuni inserti musivi, di sapore più islamico che bizantino o romanico. D'altra parte, che spunti decorativi islamici si affaccino qua e là ad Assisi, non può stupire, soprattutto se consideriamo i con-

tatti con il Medio Oriente particolarmente intensi in questo momento; cosa che il Coletti (e prima di lui il Soulier) ha fatto giustamente rilevare, però soltanto a proposito di alcune parti architettoniche della basilica, in cui ha riscontrato influssi "sia paleo-cristiani siriani, sia islamici". Interessante inoltre quanto scrive il Carli (1958) circa i rapporti tra Pisa (e perciò l'Italia, l'Occidente) e il mondo musulmano: "Pisa era dunque, nella seconda metà del Duecento uno dei pochi, se non l'unico luogo al mondo dove [...] le Sante Anne e le Madonne si assiedevano sui più sontuosi e traforati troni dei Califfi, importati da una reggia siciliana come da una provincia di Spagna ancora musulmana". Ci troviamo così dinanzi a un intrecciarsi di rapporti tra cultura orientale, islamica e italiana, purtroppo assai poco considerati, ma sui quali più recentemente ha offerto un utile contributo, anche se limitato a uno specifico settore, E. Kühnel (*Die islamischen Elfenbeinskulpturen*, 1971). Per quan-

to si riferisce in particolar modo a Cimabue, appare evidente che si ispirò a motivi orientali-islamici non soltanto nel delineare alcuni elementi della decorazione assisiate, ma anche in altro momento, ad esempio dipingendo la parte decorativa centrale del *Crocifisso* di Santa Croce (n. 43), e alcuni motivi ornamentali della *Madonna* di Santa Trinita (n. 42). Tali risonanze dell'astrattismo figurativo islamico — che emerge, per essenzialità, sugli arabeschi bizantini di cui abbiamo esempi abbastanza simili a Ravenna — poterono accostumarsi facilmente alla razionalissima maniera di comporre del toscano Cimabue; risonanze a lui giunte non soltanto per via di quanto poté essergli riferito da chi in Occidente aveva avuto occasione di istituire rapporti diretti con il mondo islamico, ma anche attraverso la stessa arte carolingia che mostra di risentire in modo particolare del contatto con il mondo degli "infedeli", e inoltre attraverso l'arte mosana (che già sul finire dell'XI secolo aveva

raggiunto una grande fioritura nell'antica diocesi di Liegi) le cui forme riflettono pure influssi orientali-islamici, a Cimabue resa nota facilmente tramite esemplari conservati presso l'abbazia di Montecassino. Restano infine da segnalare un'ipotesi del Salvini (1958), che ritiene possibile un viaggio di Cimabue nei Balcani, e un'altra del Ragghianti (1955), per il quale "non è impossibile un viaggio dell'artista in Oriente". Per quanto riguarda il problema attributivo e quindi il diretto intervento di Cimabue nell'esecuzione, si rimanda alle singole schede dedicate ai motivi decorativi (n. 30-34). Resta comunque da notare come si evidenzi, in modo particolare negli *Angeli reggivaso* della volta centrale (n. 21), il divario tra i modi prevalentemente gotici della zona superiore del transetto destro e quelli del transetto sinistro, più romanici e romani, mentre romano o ellenistico-romano si dichiara il maggior aiuto di Cimabue nella decorazione del transetto sinistro e della volta centrale.

32. ANGELI CON SCETTRO
af 1280-83 c.

Si tratta di grandi figure affiancate nel vano delle logge, tre sulla parete sinistra, tre su quella destra; i tre della parete destra (foto 32¹-32³) sono stati 'strappati' nel 1953 a cura dell'Istituto Centrale del Restauro e riportati su doppia tela di canapa. D'imponenza monumentale, con la loro enorme statura e l'espressione enigmatica, quasi cimiteriale, incombono sulle sottostanti 'storie' apocalittiche come assistendovi. In alcuni degli angeli entro la loggia destra, soprattutto nel primo da sinistra, la critica moderna ha ravvisato, ma di solito dubitativamente, la diretta esecuzione del maestro; ed è verosimile che in essi l'intervento di Cimabue sia stato piuttosto ampio. Si veda anche al n. 31.

33. ANGELI A MEZZA FIGURA
af 1280-83 c.

Incorniciati entro riquadri, nello sguancio della quadrifora, si alternano a motivi decorativi geometrici e vegetali motivi analoghi, attualmente quasi del tutto cancellati, decoravano i sottarchi dei lunettoni. Alcune figure, ben conservate, portano l'impronta di Cimabue (foto 33¹ - 33²), anche se l'esecuzione è dovuta ad aiuti. E a Duccio in particolare, in una proposta di alunnato, il Longhi (1948) assegnò una di esse (foto 33³). Ma sia l'attribuzione a Duccio di questa figura (insieme ad altre parti della decorazione assisiate), sia la tesi più generale che Duccio possa essersi formato alla scuola di Cimabue, vennero confutate dal Coletti (1949), e successivamente respinte in particolar modo dal Brandi (1951). La tesi del Longhi è stata invece accolta dal Volpe ("PA" 1954) e dal Bologna ("PA" 1960). Si veda anche al n. 31.

34. ANGELI
af 1280-83 c.

Si trattava di grandi figure situate ai lati della quadrifora, attualmente in massima parte rovinate; quella meglio conservata (foto 34¹) si trova in basso a sinistra. Si veda anche al n. 31.

Transetto destro

La decorazione ancora collegabile a Cimabue, avente per tema 'storie' apostoliche, si svolge nel registro inferiore delle pareti e comprende (a partire da sinistra): *San Pietro guarisce lo storpio* (n. 35) e *San Pietro guarisce gli infermi* (n. 36), sulla parete sinistra; la *Caduta di Simon Mago* (n. 37), la *Crocifissione di san Pietro* (n. 38) e la *Decapitazione di san Paolo* (n. 39) sulla parete centrale; la *Crocifissione* (n. 40), sulla parete destra. Le altre parti dell'ornamentazione, pur non riferibili né a Cimabue né alla sua cerchia, ma che presentano un particolare interesse per certi evidenziabili nessi, sono state qui raggruppate in una singola trattazione (n. 41).

35. SAN PIETRO GUARISCE LO STORPIO
af 350×330 c. 1280-83 c.

Dagli *Atti degli apostoli* (III, 1-8): "Ora Pietro e Giovanni salivano insieme al tempio, in su

106

40

40¹

40²

Incisione relativa al n. 40 (in D'Agincourt, Storia dell'arte, 1826).

l'ora nona, che è l'ora dell'orazione. / E si portava un certo uomo, zoppo dal ventre di sua madre, il quale ogni giorno era posto alla porta del tempio detta Bella, per chieder limosina a coloro che entravano nel tempio. / Costui, avendo veduto Pietro e Giovanni, ch'erano per entrar nel tempio, domandò loro la limosina. / [...] Ma Pietro disse: Io non ho né argento, né oro; ma quel ch'io ho tel dono: nel nome di Gesù Cristo il Nazareno, levati e cammina. / E presolo per la man destra, lo levò; e in quello stante le sue piante e caviglie si raffermarono; / ed egli d'un salto si rizzò in piè, e camminava; ed entrò con loro nel tempio, camminando, e saltando, e lodando Iddio". Quasi tutti i critici scorgono l'intervento diretto di Cimabue, prima che il maestro interrompesse improvvisamente il suo lavoro, lasciando ad altri il compito di ultimare le restanti scene di cui egli, tuttavia, tracciò, quasi certamente, uno schema di massima. Ma qui pure, Cimabue si valse ampiamente di collaboratori, come dimostrano alcune incertezze e asperità esecutive nel gruppo degli astanti a destra (in cui il Battisti propone di ravvisare l'intervento di Manfredino da Pistoia) e nella cupola del tempio principale. Al centro è san Pietro, chinato verso lo storpio che sta dinanzi alla porta del tempio, sul cui frontone è raffigurata un'aquila. Sulla sinistra è san Giovanni. I due edifici laterali, sormontati da 'attici', simili, anche se più complessi, a quelli della Presentazione al tempio del Cavallini (n. 86), sono orientati verso il centro; le loro linee di fuga, se prolungate, verrebbero a incontrarsi presso la porta del tempio centrale (dalla Zocca [1936] dubitativamente identificato con il Pantheon, mentre per il Nicholson sarebbe "piuttosto un battistero con un portico romano"), secondo il metodo di scorcio frontale-prospettico (si veda al n. 14) che, secondo il White (1957), distingue Cimabue dai suoi contemporanei e costituisce uno dei suoi maggiori contributi alla rappresentazione dello spazio.

36. SAN PIETRO GUARISCE GLI INFERMI E LIBERA GLI INDEMONIATI

af 350×330 c. 1280-83 c.

Dagli Atti degli apostoli (V, 12-16): "E molti segni e prodigi eran fatti fra il popolo per le mani degli apostoli; ed essi tutti di pari consentimento si ritrovavano nel portico di Salomone. E niuno degli altri ardiva aggiungersi con loro; ma il popolo li magnificava. / E di più in più si aggiungevano persone che credevano nel Signore: uomini e donne, in gran numero / talché portavan gli infermi per le piazze, e li mettevano sopra letti e letticelli, acciocché, quando Pietro venisse, l'ombra sua almeno adombrasse alcun di loro. / La moltitudine ancora delle città circonvicine accorreva in Gerusalemme, portando i malati, e coloro ch'erano tormentati dagli spiriti immondi; i quali eran sanati". Come nel riquadro precedente, sono raffigurati tre edifici: quello centrale, il portico di Salomone (tav. XXXI), ha una cupola a terminazione pi-

41 a

41 b [Tav. VIII]

ramidale con motivi cosmateschi e appare molto simile al tempio centrale della Presentazione al tempio di Pietro Cavallini in Santa Maria in Trastevere (n. 86), anche se rispetto a quest'ultimo l'affresco riesce a conseguire con la sua tecnica una più plastica evidenza. La composizione di questa architettura è di evidente derivazione bizantina-neoellenistica (se ne veda un esempio nella Comunione degli apostoli, in Santa Sofia a Ocrida). Al centro, san Pietro, in gesto taumaturgico, seguito da altri apostoli: si osservi come quello al centro sia somigliantissimo a

un profeta situato nella nicchia centrale della Madonna di Santa Trinita (n. 42). Le suddette figure e i motivi architettonici sono le parti in cui forse Cimabue ebbe ancora il tempo di intervenire sia pure indirettamente; ma già a destra, nei gruppi degli infermi e degli indemoniati (i demoni scacciati si aggrappano ammassandosi su una colonna del portico), l'intervento della scuola è evidente. Forse proprio in questo momento Cimabue lascia Assisi. Certamente per il mutare di una situazione politica (si veda la scheda introduttiva al ciclo), egli interrompe o è co-

stretto a interrompere l'importante lavoro lasciando il compito di condurlo a termine ad artisti a lui più o meno legati.

37. CADUTA DI SIMON MAGO

af 350×330 c. 1280-83 c.

La leggenda dell'ascesa verso il cielo di Simon Mago e della sua caduta è raccontata negli apocrifi Atti di Pietro e nella Legenda aurea di Iacopo da Varagine. Se nelle due scene precedenti il legame con lo stile di Cimabue appare ancora evidente, nella Caduta di Simon Mago esso risulta allentato, essendo ormai scomparsa

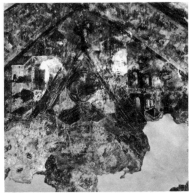

41 a¹

41 a²

41 b¹

41 b² [Tav. VIII]

la vena rigorosamente razionale e drammaticamente folgorante del maestro. Non è da escludere tuttavia che lo schema generale della composizione nelle ultime tre 'storie' apostoliche (soprattutto nella Crocifissione di san Pietro, n. 38) abbia potuto essere tracciato da Cimabue stesso: nelle strutture architettoniche in particolare è possibile ravvisare ancora una certa somiglianza con il fare del maestro. Il Nicholson fa esattamente rilevare che, a conferma dell'assenza della mano diretta di Cimabue dalle ultime tre scene apostoliche, va sottolineato il cambiamento della tecnica usata: questi affreschi, infatti, non risultano ossidati come i precedenti. Il Bologna (1969) ritiene invece la *Caduta* opera autografa. L'autore o gli autori di queste 'storie' si ispirarono abbastanza fedelmente (assai meno tuttavia per la *Decapitazione di san Paolo*, n. 39, dove i soli elementi ripresi dall'analoga scena romana sono le tre montagne) a composizioni simili allora esistenti nel portico della vecchia basilica di San Pietro, che noi conosciamo soltanto attraverso le copie secentesche del Grimaldi (Biblioteca Apostolica Vaticana, codice Barberiniano Latino 2733; foto 37¹), e che secondo alcuni sarebbero dovute a Cimabue, secondo altri al Cavallini. È da rilevare comunque che qui, nelle scene assisiati, assente ormai Cimabue, il fraseggio pittorico si va facendo, rispetto a quello personalissimo del maestro, più romanico (nella *Crocifissione di san Pietro*), e più romano (nelle altre due 'storie'), in modo particolare per certi agganci con la ritrattistica della pittura antica. Nella *Caduta di Simon Mago*, il gruppo a destra (foto 37²) mostra infatti nessi con la pittura parietale romana, per il modo di disegnare i contorni e il maggior naturalismo dei volti (si veda in particolare, a destra, il personaggio più vicino a Nerone), anche se ancora non si è spento del tutto l'influsso di Cimabue (nel san Pietro, a sinistra, che addita Simon Mago sorretto da diavoli alati). All'estrema sinistra si intravvede l'aureola di san Paolo, pressoché ripreso dall'analoga figura affrescata nel portico della basilica romana, come pure fedelmente imitata è l'impalcatura in legno al centro della composizione (si vedano anche l'incisione riprodotta in D'Agincourt, *Storia dell'arte*, 1826: foto 37³; e la copia ad acquerello eseguita dal Ramboux; Düsseldorf, Kunstmuseum, Kupferstichkabinett: foto 37⁴).

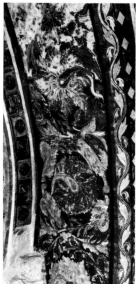

41 c¹

41 c²

38. CROCIFISSIONE DI SAN PIETRO

af 350×300 c. 1280-83 c.

È la scena più fedelmente imitata da quella, di tema analogo, già esistente nel portico di San Pietro (si veda la copia del Grimaldi alla foto 38¹). La composizione è costituita da tre elementi principali che dividono lo spazio in modo proporzionale: a destra, una costruzione piramidale a diversi piani, con arcate oblunghe, e culminante in alto con un arbusto, dal Nicholson identificata con la "Meta Romuli". Vi si contrappone, nella parte opposta, un'altra costruzione, che il Nicholson ritiene, attendibilmente, la piramide di Caio Cestio; sui lati sono infatti chiaramente leggibili gli incastri dei blocchi rettangolari di pietra. Secondo A. Venturi, l'elemento a sinistra dovrebbe essere la "Meta Romuli" (e in tal modo era stato anche identificato l'edificio analogo raffigurato, a destra, nella pianta di Roma della vela con *San Marco*, n. 18), e quello a destra il "Terebintum Neronis". Al centro sta la croce capovolta sulla quale è inchiodato il santo "le mani con le palme distese, un

41 d

41 e¹

41 e²

41 e³

41 e⁴

drappo intorno ai fianchi, i piedi disgiunti, come i Crocifissi romanici di Toscana e dell'Umbria" (A. Venturi). Per quanto riguarda i due gruppi di personaggi, essi sono situati esattamente entro i limiti segnati dalle basi dei due elementi piramidali, quasi a voler sottolineare la preminenza del fattore architettonico nella composizione (si veda anche la copia del Ramboux, foto 38², dove è leggibile anche la parte attualmente nascosta dal coro). A destra, i tre angeli (foto 38³) di vaga somiglianza cimabuesca; a sinistra, il gruppo degli astanti (foto 38⁴), complessivamente fiacco anch'esso, ma con qualche inserto qualitativamente notevole (vi si potrebbe ravvisare anche la presenza di Manfredino da Pistoia).

41 e¹ (positivo invertito)

41 e² (positivo invertito)

41 e³ (positivo invertito)

39. DECAPITAZIONE DI SAN PAOLO

af 350×300 c. 1280-83 c.

La composizione è suddivisa, come nelle altre 'storie' apostoliche (n. 35-39), in tre settori. Ma qui l'elemento paesaggistico, di vena gotica, predomina su quello architettonico. Sul fondo, s'ergono tre montagne altissime. La zona inferiore del riquadro è quasi del tutto scomparsa e con essa l'episodio principale della decapitazione, localizzabile tuttavia grazie a pochi frammenti ancora leggibili (come l'aureola che cinge la testa del santo; si confronti, alla foto 39¹, la copia del Grimaldi). A sinistra, alle falde di una montagna, una costruzione con piccoli tetti spioventi; al centro, sei figure (foto 39²) con lunghe lance; enormi, rispetto all'insieme della composizione, occupano quasi tutto lo spazio antistante la montagna centrale. È da rilevare che queste figure (il gruppo a sinistra è difficilmente leggibile) presentano molti punti di contatto con il gruppo di Nerone e i consiglieri nella *Caduta di Simon Mago* (n. 37); l'artista, autore di entrambe le scene, è certamente diverso da quello, cimabuesco, della *Crocifissione di san Pietro*: si distingue chiaramente per il suo naturalismo impressionistico e per i già rilevati nessi con la pittura romana antica, dimostrando uno stile molto personale, di cui tuttavia risultano irreperibili, sia ad Assisi che altrove, ulteriori manifestazioni.

40. CROCIFISSIONE

af 350×300 c. 1280-83 c.

Molto danneggiata; quasi del tutto scomparsa la zona inferiore. Vi si raffigura il momento in cui la lancia e la spugna stanno per raggiungere il Cristo, mentre la Vergine sviene nelle braccia degli astanti. Ove si escludano il Thode e il Berenson che l'assegnano interamente a Cimabue (per il Thode si tratta tuttavia di un Cimabue memore di Giunta e Margaritone), la critica moderna la considera solamente ispirata dal maestro. Il Coletti la ritiene di seguaci e dubita inoltre che Cimabue abbia potuto fornire il cartone, trattandosi a suo avviso di un rimaneggiamento della *Crocifissione* del transetto sinistro (n. 22). Per il Nicholson, i molti elementi cimabueschi che vi si riscontrano indurrebbero ad assegnarla al maestro, e tuttavia le differenze rispetto all'altra *Crocifissione* sono così macroscopiche da assumere "the appearance of a brutal parody"; lo studioso è inoltre dell'avviso che la Madonna (foto 40¹) possa essere stata ridipinta in epoca più tarda, seguendo in ciò un'opinione già espressa dal Thode; per il Coletti (1949), invece, tale figura non avrebbe subito rimaneggiamenti. Il Salvini (1946), riscontra "durezze d'una qualità che richiama gli angeli delle arcatelle sopra la loggia del transetto sinistro"; secondo il Battisti (1963), l'affresco è "fortemente toscaneggiante, nel suo insieme, nonostante i dettagli". È evidente che l'opera porta impressi timbri cimabueschi: nei gruppi degli astanti, nei due angeli in alto, a destra, nello stesso volto della Vergine e precisamente per il modo in cui esso è ripiegato. Assai meno cimabuesco è invece il Cristo, che nonostante le apparenti analogie compositive ha perduto — e si direbbe non tanto per imperizia dell'artista quanto per scelta precisa — le caratteristiche principali del Crocifisso del transetto sinistro: è più rigido, perché meno arcuato, meno pervaso di pathos. Il volto (foto 40²) soprattutto è diverso: appena ripiegato sulla spalla, lievemente proteso in avanti, in un percettibile sussulto dei sensi non ancora spenti. Perciò, se il modello cimabuesco viene ancora tenuto presente, diversa è la poetica; a motivo propriamente del volto rude e amaro (quasi un preludio donatelliano), questo Cristo costituisce un tramite verso l'arte del nuovo secolo. Esso offre inoltre utili elementi di raffronto con un'opera di grande interesse resa nota recentemente: il *Crocifisso* di San Tommaso dei Cenci (n. 81).

41. Affreschi del MAESTRO D'OLTRALPE

La decorazione della zona superiore di questa parte del transetto è strutturata in modo analogo a quella del transetto sinistro. Nei due lunettoni molto deteriorati, sono raffigurati, a sinistra *San Luca inginocchiato accanto a un trono* (foto 41 a; le zone ancora leggibili sono l'estremità superiore in corrispondenza della cuspide, e quella in basso a destra), a destra la *Trasfigurazione* (foto 41 b; perduta la zona in basso a sinistra); nei sottarchi dei lunettoni (foto 41 c¹ - 41 c²) e della vetrata (foto 41 d) e nei costoloni si alternano motivi decorativi vegetali ad altri geometrici; nella volta, fasce decorative che si innestano su grandi maschere (foto 41 e¹ - 41 e⁴); nelle fasce comprese fra i lunettoni e la loggia, cinque tondi con *Busti di angeli*, sia sulla parete di sinistra (nelle foto 41 f¹ - 41 f²) se ne riproducono quattro, inframmezzati da cuspidi di gusto gotico), sia su quella di destra (di cui si riproduce, alla foto 41 f - 41 g la zona mediana, con i tondi fra cuspidi e la loggia); nelle logge sottostanti, sei grandi figure di *Santi e profeti* (alle foto 41 g¹ - 41 g³ se ne danno tre della parete sinistra; della parete destra si riproducono i due ancora leggibili, 41 g⁴ - 41 g⁵); ai lati

41 f - 41 g

41 f¹

41 f²

41 g⁶

della quadrifora sulla parete centrale, due figure gigantesche entro nicchie (foto 41 h¹ - 41 h²); sopra queste, grandi rosoni (foto 41 i¹ - 41 i²). Questa magnifica decorazione, purtroppo assai danneggiata, riveste un'importanza fondamentale, non soltanto per l'eccelso valore stilistico, ma anche e soprattut-

41 g¹

41 g²

41 g³

41 g⁴

41 g⁵

41 h - 41 i

41 i¹

41 i²

41 h¹

41 h²

110

to per i legami riscontrabili sia con una cultura figurativa dichiaratamente d'Oltralpe, sia con l'arte italiana, quella romana e quella di Cimabue. L'autore del ciclo è un maestro gotico; taluni brani palesano tuttavia un'assimilazione di motivi dell'arte romana, mentre di impronta esclusivamente romana si dichiara in altre parti un suo collaboratore e continuatore. Nello stesso momento, peraltro, Cimabue si dimostra interessato (e vi attinge pure) agli eleganti goticismi di questa parte della chiesa, alle fasce ornamentali soprattutto, ma anche a certi modi espansi e generosi nel disegnare (si vedano la foto 41 b¹ e la tav. XXV). È da rammentare inoltre che nell'abside e nelle prime 'storie' della Vergine delle due grandi lunette laterali (n. 7-10), il maestro italiano e quello gotico denunciano un incontro e fors'anche una collaborazione (come sottolinea anche il White [1966]) in qualche brano (si veda ai n. 8, 21, 22), presumibilmente tra i più autentici del rimaneggiatissimo ciclo. Un'influenza, sia pure non decisiva, dovette quindi esercitarsi reciprocamente tra i due artisti, anche se si avverte subito la distanza che li separa; distanza segnata sia dalla loro differente formazione culturale, sia dalla diversità di fini che si prefiggono. Lineare e ortodossa la maniera del maestro del transetto destro, il cui scopo precipuo (pienamente raggiunto) è rendere icasticamente magnifica questa parte del tempio assisiate con gli straordinari mezzi tecnici e stilistici di cui dispone. La sua poetica, inoltre, non è turbata dalla crisi; la sua problematica, non condizionata da un particolare impegno civile, è di natura puramente formale. Egli si muove nel chiuso edificio gotico, un gotico già saldamente acquisito e dispiegato in maniera grandiosa. La poetica di Cimabue è segnata invece da un'affannosa inquietudine e da una decisa presa di posizione nei confronti di un ben determinato momento storico. In più, sul piano dello stile, toccherà a lui di avviare una svolta essenziale: egli è conscio della propria funzione mediatrice tra l'arte bizantina universale, quella romanica, quella neoellenistica e quella gotica. Individuata sulle pareti absidali (si veda anche al n. 8) la presenza di due diversi artisti — Cimabue e l'autore degli affreschi nelle parti superiori del transetto destro (con la scuola) si rende indispensabile chiarire le linee direttrici dell'arte di quest'ultimo. Tra gli studiosi moderni, il Thode, seguito dallo Strzygowski e, più recentemente, dal Berenson (1936), ritenne — sulla scia del Vasari — anche questa parte superiore del transetto destro di esecuzione cimabuesca (si veda la scheda introduttiva agli affreschi), e ciò anche in adesione all'altra tesi vasariana secondo cui tra le decorazioni della Chiesa Superiore e dell'Inferiore esisteva continuità (il Vasari pensava addirittura che Cimabue stesso avesse ampiamente lavorato, prima, anche nella Chiesa Inferiore, e in realtà gli affreschi della parete della navata attribuiti al Maestro di San Francesco rivelano molti punti di contatto con Ci-

mabue, oltre a influssi di Giunta Pisano, cui vennero pure riferiti); una certa continuità infatti si può riscontrare soprattutto nei motivi vegetali dei costoni e dei sottarchi in ambedue le chiese. L'Aubert per primo riconobbe i modi decisamente gotici degli affreschi del transetto destro e li pose in stretto rapporto con lo stile, gotico appunto, delle vetrate (per la datazione da lui supposta si veda la già richiamata nota introduttiva); lo studioso inoltre, nel confermare la continuità rispetto alla Chiesa Inferiore, rileva in più un segno accentuato di classicismo, riscontrabile in particolare nelle decorazioni con foglie di acanto (motivo particolarmente diffuso nell'arte classica). Successivamente, occorrerà attendere gli studi del Coletti (1949) perché l'esame del ciclo, stranamente trascurato dalla critica, venga in qualche modo ripreso. Lo studioso approfondisce, sia pure limitatamente ad alcune parti, le considerazioni dell'Aubert e si sofferma sia sui nessi esistenti con la Sainte-Chapelle di Parigi, sia sulla grafia marcata e lo splendore coloristico degli ori, dei rossi scuri e del turchino, che, avvedutamente inseriti nelle strutture architettoniche, determinano, in questa parte della chiesa in modo preminente, una "potente, squillante, vivacissima sinfonia cromatica [...]. Lo stile è rigorosamente lineare; e ciò appare con migliore evidenza nelle parti figurate dove i volumi risultano risolti in tanti piani schiacciati e inalveolati entro la fitta rete dei contorni a forte spicco — quasi nastri di piombo o *cloisons* — sulle campiture di tinte piatte. Evidente allusione alle grandi arti gotiche: la vetrata e lo smalto". Spianata ormai la strada nella precisa direzione di un gotico settentrionale, ecco il Brandi (1951) riferire in maniera ancora più puntuale la *Trasfigurazione* a un "pittore transalpino", senza tuttavia precisarne la nazionalità; e non sembra infatti, allo stato attuale delle ricerche, che si possano trovare punti di riferimento definitivamente certi per inserire la cultura dell'anonimo frescante entro i precisi confini di una determinata configurazione geografica, sia essa francese, inglese o anche tedesca. A proposito di una particolare possibile influenza tedesca o dell'Europa centro-meridionale, va ricordata la tesi (avanzata da H. Wentzel, "ZFK" 1949) secondo cui le vetrate del transetto — già riferite a Cimabue e alla scuola del Cristofani, dal Giusto e dal Kleinschmidt — si debbono a maestranze tedesche; tesi accolta dal Castelnuovo ("PA" 1958) con la precisazione che trattasi "del linguaggio gotico francese nella particolare interpretazione che ne viene data dal mondo tedesco", mentre il Marchini (*Le vetrate italiane*, 1957) distingue tra maestranze francesi (per la quadrifora del transetto sinistro) e tedesche. A conferma del rapporto tra affreschi e vetrate, si osservi che nella formella della vetrata del braccio destro della crociera raffigurante *Gesù che appare a san Pietro*, il volto del santo palesa nei contorni una estrema rassomiglianza con quello affrescato nella loggia destra di questa parte del transetto, anche se l'atteggiamento risulta, ovviamente, diverso. Inoltre, si riscontrano affinità tra alcune figure delle logge e gli affreschi romanico-bizantini del convento di Nonnberg a Salisburgo, soprattutto per il disegno delle mani e per la composizione di alcuni volti (in particolare rispetto al *San Floriano* di Nonnberg), a guisa di anfore rovesciate. Il Longhi (*La pittura umbra del Trecento*, 1953-54, in "PA" 1973), prendendo in esame le loggette, vi scorge parentele con la miniatura francese dell'epoca di san Luigi. Il Volpe (*Giotto e i giotteschi in Assisi*, 1969) propone di avvicinare l'anonimo artista alla cultura inglese.

La volta del transetto appare del tutto simile a quelle del transetto sinistro e dell'abside, di colore blu trapunto di stelle d'oro. Nei sottarchi della grande vetrata, gli ampi rosoni sono separati da foglie d'acanto, mentre lungo i costoloni delle volte, ai motivi geometrici si aggiungono i grandi mascheroni con lunghissime barbe e con svariate fisionomie, decorazioni a greche, rombi e foglie d'acanto disposte a spirale; e ancora, lungo i sottarchi delle lunette, altri motivi vegetali, ubertosi e campiti in ampie stesure a mo' di rosone. Queste ultime decorazioni presentano vari punti di somiglianza non soltanto con l'ornamentazione delle vetrate e con gli analoghi motivi decorativi affrescati nella Chiesa Inferiore, ma anche con le decorazioni fitomorfiche delle chiese medievali di Cappadocia. È pure questa una ragione valida per estendere la cultura figurativa delle maestranze nordiche al di là della stretta cerchia della loro originaria sfera formativa.

Nelle fasce sovrastanti le due logge, le cuspidi gotiche con quadrilobi e trilobi ripetono il motivo architettonico esistente nella lunetta con *San Luca* e inquadrano piccoli campanili di struttura piuttosto romanica e, più in alto, clipei con angeli (probabilmente eseguiti su disegno del maestro nordico). Il Coletti (1949) fa esattamente rilevare quanto d'altra parte le immagini evidenziano con chiarezza: nelle grandi figure dipinte entro la loggia sinistra, cioè, si avverte "un linearismo che risente del gusto gotico", con campi cromatici in cui dominano il rosso e il turchino. Qui, insomma, nelle parti più autentiche, è un gotico puro, splendente, incontaminato. Gli stessi angeli, che pure risentono dell'intervento di aiuti, sono stati disegnati individualmente in pose diverse, mentre quelli della loggia destra sembrano fatti in serie, e le grandi figure sottostanti "accusano piuttosto un gusto romanico-bizantino". Esatto quanto rileva il Coletti; si deve se mai precisare che, sempre nella loggia destra, è un gusto 'romano', già presente nelle ultime immagini della loggia sinistra, quello che maggiormente affiora. Si noti come una delle figure di *Santi e profeti* della loggia sinistra (foto 41 g^3) indossa una veste il cui panneggio è derivato direttamente dalla statuaria romana; nelle altre predomina invece, in una quasi arcaica sinteticità, la longilineità della figura, in un ricordo lontano di cose essenziali, come le immagini della stola di Cuthbert nella cattedrale di Durham. Sono figurazioni di una eleganza eccezionale dal punto di vista compositivo e cromatico; e non è da escludere che anche ad esse abbiano fatto riferimento il Cavallini e i suoi aiuti nel dipingere le monumentali figure di *Apostoli e profeti* di Santa Maria Donnaregina a Napoli (n. 90), benché delle figurazioni assisiati quelle napoletane non sempre posseggano né la penetrante immediatezza espressiva, né la compiutezza stilistica, né lo splendore cromatico. Nella loggia prospiciente la figurazione viene ripetuta in forma analoga, e tuttavia con differenze non secondarie e tali da far supporre la presenza di una mano diversa, magari italiana, operosa quando il grande Maestro d'Oltralpe aveva appena lasciato o stava per lasciare Assisi. Così le cuspidi risultano più sommariamente dipinte e più monotonamente decorate, gli angeli entro i clipei più imbambolati e uniformi, mentre le figure di santi entro la loggia, sia per l'atteggiamento severo e ieratico sia per il disegno a righe sottilissime di una di esse (foto 41 g^5), dichiarano la presenza di un artista che potrebbe anche essere legato a Cimabue stesso; ovvero nel personaggio che sta accanto (foto 41 g^4), a un maestro neoellenistico-romano. Queste immagini, dall'atteggiamento ora grave ora alquanto distaccato, sebbene risentano del linearismo grafico del grande artista nordico, posseggono una monumentalità fine a se stessa che potrebbe avvicinarle al Cavallini, anche se del maestro romano non hanno la potenza plastica. Da rilevare infine che nelle figure dipinte entro la loggia destra, predomina il colore giallo-ocra, mentre in quelle della loggia sinistra e in tutto il ciclo attribuibile al pittore d'Oltralpe, spiccano l'azzurro-verde, il vinaccia e il rosso chiaro.

La Hueck ("MKF" 1969), esaminando la decorazione del transetto destro (escluse naturalmente le 'storie' apostoliche), distingue tre mani diverse: la prima di un artista d'Oltralpe cui si dovrebbero le due lunette caratterizzate, secondo la studiosa, da uno stile statico e piuttosto piatto anche se abilissimo appare il disegno; la seconda, dell'artista che eseguì la decorazione della loggia sinistra, le cui figure sono contraddistinte da vivacità e realismo; infine una terza mano, certamente di estrazione romana, alla quale si devono le figure della loggia destra, robuste e scultoree, però statiche e piuttosto povere di vitalità. Anche per quanto riguarda i mascheroni alla base dei costoloni della volta, la Hueck ritiene, e si può concordare con lei, che non siano stati dipinti da un solo artista. La studiosa, inoltre, pone in relazione le figure nelle logge con la pittura romana medievale, e istituisce interessanti confronti con alcuni affreschi dell'atrio della vecchia costruzione di San Pietro

42 [Tav. XXXIII-XXXVI]

(già nei Musei Vaticani) che, a suo avviso, risalirebbero al pontificato di Urbano IV (1261-64), mentre gli affreschi assisiati sarebbero da datare intorno al 1270-75. Successivamente, il Boskovitz ("P" 1971) avanzò per questi l'ipotesi che siano da riferire a un artista "forse inglese" e a un suo collaboratore romano. Riteniamo di poter concludere, circa le figurazioni nelle logge, che due siano gli artisti ivi operosi: il primo sarebbe da identificare con l'autore delle due grandi lunette, cui si devono riconoscere le prime tre figure entro la loggia sinistra a cominciare dal *San Paolo*, oltre alla decorazione esterna (con un aiuto); un confronto morfologico, a parte le più profonde ragioni stilistiche, dovrebbe riuscire convincente: la mano del santo (foto 41 g^6) appare infatti disegnata in maniera inconfondibile, con le dita molto larghe e pressoché uguali, esattamente come i piedi dei due profeti nella *Trasfigurazione*. Ma già in questa stessa loggia si assiste a un cambiamento, e un secondo artista, questa volta romano ma nello stesso tempo sensibile a quanto il maestro nordico ha appena lasciato incompiuto, interviene per le restanti figure della loggia, e poi nella loggia destra, qui verosimilmente affiancato da un aiuto.

Un discorso particolare merita la lunetta con l'evangelista Luca, che non è stata mai esaminata (solamente il Kleinschmidt vi dedica qualche riga, ma per darne una lettura inesatta in base al disegno del Carpinelli e del Mariani) e della quale vengono qui per la prima volta riprodotte le parti rimaste; la composizione è originalissima e non sembra trovare un preciso riscontro nella pittura dell'epoca. Risultava generalmente indicata — senza però essere descritta — *Cristo in gloria tra i simboli degli evangelisti*, ma tale denominazione appare alquanto dubbia. In alto è chiaramente visibile la parte terminale di una nicchia gotica con al centro un quadrilobo; tutta la zona inferiore è rovinata o inesistente. Ai lati della cuspide (foto 41 a^1) due motivi vegetali derivati dall'ornamento miniaturistico, e più a ridosso, alcuni edifici squadrati geometricamente dei quali quelli a sinistra della cuspide presentano analogie con quelli della *Visione degli angeli ai quattro canti della terra* (n. 24), e con la città raffigurata nella vela con l'evangelista *Matteo* (n. 19), e quello a destra della cuspide con un'architettura della *Caduta di Simon Mago* (n. 37). Niente o quasi rimane della zona sinistra mentre, a destra (foto 41 a^2), risultano del tutto leggibili la figura di un vegliardo inginocchiato e sontuosamente ammantato, e, dietro, il frammento di un'ala; la massa 'baroccheggiante' della veste, tipica di certo gotico d'Oltralpe, è disegnata in maniera pressoché identica alla veste del Cristo nella *Trasfigurazione*. Sotto, campeggia uno stupendo toro alato, con la testa nimbata, reggente un libro. Soltanto in base a questi elementi si può fare il tentativo di identificare la scena. Anzitutto è da osservare che il gruppo del vegliardo con il toro occupa quasi tutto lo spazio a destra della nicchia: presumibilmente, nella parte sinistra doveva trovarsi una figurazione analoga, con un altro evangelista e il suo simbolo. Quindi è da escludere che nell'insieme della composizione potessero stare tutti e quattro gli evangelisti, o magari soltanto i loro simboli insieme a un'altra figura in corrispondenza del san Luca. Nell'iconografia degli evangelisti accade di incontrare (per esempio in San Vitale a Ravenna) la figura situata al di sopra del rispettivo simbolo; perciò, nell'affresco in esame, il personaggio inginocchiato è san Luca, come indica il simbolo del toro alato. Il frammento di ala, visibile dietro alle spalle del santo, potrebbe appartenere a un angelo situato tra l'evangelista e gli edifici soprastanti; e tuttavia non riesce agevole situare in questo poco spazio un angelo, sia pure di dimensioni ridotte, con un'ala così lunga da arrivare fin poco sopra il piede dell'evangelista, a meno che non si trattasse di una figura smilza e dalle ali allungatissime quale più tardi ritroveremo nell'arte tardogotica, ad esempio in Stefano da Verona; però è senz'altro da escludere che un artista gotico di tempra così robusta e tendente al 'monumentale', quale si rivela l'autore di questa scena, potesse preannunciare simili esiti pittorici; né, data la posizione di quest'ala, che — come si diceva — invade tutto lo spazio dietro il san Luca, si può supporre che si tratti dell'angelo simbolo di san Matteo. Le mani e le braccia di san Luca sono scomparse e non è quindi possibile precisare quale ne fosse il preciso atteggiamento. Purtroppo anche l'incisione degli affreschi di questa parte della chiesa eseguita da L. Carpinelli e G. B. Mariani è inesatta e non offre alcun aiuto per la ricostruzione della scena. Vi è infatti raffigurato un trono dalla spalliera rettangolare (perciò senza la cuspide) su cui è assisa una figura nimbata in atto di scrivere un libro; ai lati, due angeli seminginocchiati; in basso, il toro alato disegnato in maniera diversa da come appare nell'affresco. Si tratta quindi di una ricostruzione completamente falsa. Da quanto si è detto, è chiaro che diviene quasi impossibile dare un titolo esatto alla scena. Esistono soltanto tre punti di riferimento precisi: l'evangelista con il suo simbolo, la parte superiore di una nicchia-trono, alcuni edifici. È da escludere che nella composizione potessero trovar posto tutti e quattro gli evangelisti o i loro simboli; è possibile, ma non certo, che nella zona mancante, a destra, comparisse un altro evangelista come *pendant* al san Luca. Gli edifici avrebbero potuto simboleggiare, come nelle vele di Cimabue, i paesi evangelizzati; la nicchia gotica avrebbe potuto contenere il Cristo ovvero la Madonna (san Luca veniva considerato da un'antica tradizione anche pittore, e in particolare, ma solo in tempi più tardi, 'pittore della Madonna', e come esempio si può citare il *San Luca che ritrae la Vergine* del Halsmuseum di Haarlem, dipinto nel 1532 da Maarten van Heemskerck; san Luca sarebbe stato inoltre il creatore della Madonna del tipo 'odigitria'); ma si tratterebbe in ogni caso di semplici supposizioni. In definitiva quindi, allo stato attuale delle conoscenze, il solo titolo possibile sembra quello, descrittivo, qui indicato.

Nella *Trasfigurazione* della lunetta destra è raffigurato Cristo entro una mandorla mentre regge nella mano sinistra il globo; ha i capelli ampiamente mossi ed è ammantato da una veste sontuosa che nei panneggi prelude all'arte gotica nordica dei secoli successivi. La mandorla lo separa tra l'altro da Mosè e da Elia, inginocchiati ai lati in una posa analoga a quella del san Luca nella lunetta opposta. Sul lato sinistro, in alto, compaiono una testa, forse quella dell'Eterno, e una mano rivolta a indicare il Cristo trasfigurato. In basso, davanti a una pianta d'acanto, uno dei tre apostoli (foto 41 b[1]) cui Gesù appare, e, al centro, i frammenti di un'altra figura. È da notare come il disegno esuberante del panneggio nella veste dell'apostolo, si ritrovi nell'affresco di Cimabue con la *Visione del trono* (n. 23). Così, in entrambe le lunette, emergono due differenti impostazioni stilistiche: una molto sintetica e lineare, fino a raggiungere in certi punti, come nel toro alato o nell'albero della *Trasfigurazione*, un effetto di "schiacciamento"; l'altra rubiconda, mossa e scultorea, che si ritrova nei volti, e nei panneggi del san Luca, del Cristo e degli apostoli. Si tratta verosimilmente di un risultato derivante dall'accostamento di modi d'Oltralpe (ma anche bizantini) con un vistoso plasticismo classico, cui pure Cimabue non rimane estraneo; ciò potrebbe convalidare l'ipotesi che questo pittore, una volta giunto in Italia, abbia potuto, prima di operare ad Assisi, conoscere direttamente l'arte antica.

Le due figure dalle dimensioni gigantesche ai lati della vetrata sono, con ogni probabilità, profeti; in gran parte rovinati, ma ancora abbastanza leggibili nella metà superiore del corpo. L'artista è da identificare con l'autore delle due grandi lunette. Nel profeta a sinistra l'accentuato realismo del volto, con il naso protuberante e camuso, la barba e i capelli lunghi, lo sguardo penetrante, contrasta con il disegno sofisticato della bellissima mano, dall'indice allungatissimo e dal mignolo angolato come in una mano del Botticelli o del Crivelli. Il colore, in cui predomina il verde, è in gran parte scomparso; restano ben visibili, però, tracce di un disegno molto abile e incisivo. Proprio per il vivace realismo, e l'eleganza del disegno, sembra lontano dalle figure dei re Magi mosaicate dal Torriti in Santa Maria Maggiore che la Hueck (1969) ha ritenuto di accostare a questa immagine assisiate, avanzando, sia pur cautamente, l'ipotesi di una eventuale presenza del Torriti giovane in veste di aiuto. La figura a destra di un re nimbato in abbigliamento di guerriero con corona e dalmatica, si può identificare con David. Il volto, pur essendo danneggiato e offeso da restauri, consente egualmente di valutarne le qualità: curato nei particolari, po-

trebbe anche costituire il ritratto di un personaggio (magari san Luigi IX, il re crociato e mecenate che volle la Sainte-Chapelle). Il disegno della testa, con barba e capelli corti, presenta notevoli assonanze con il santo vescovo della Croce di San Tommaso dei Cenci (n. 81): così nel passaggio dal collo alla mascella, nella bocca carnosa e serrata, nelle sopracciglia; tutti particolari identici a quelli, corrispondenti, nel santo della Croce romana. Inoltre, il pronunciato incavo nel volto del profeta di Assisi, esiste anche nel santo romano, ed è 'sottostante' alla barba, come rivela la sporgenza della guancia sinistra. Se ne può dedurre che l'autore del *Crocifisso* di San Tommaso dei Cenci, nel comporre il suo santo vescovo, dovette guardare con particolare interesse alla figura assisiate, più ieratica certo, e culturalmente diversa, ma compositivamente molto affine.

---

42. MADONNA CON IL BAMBINO IN TRONO, OTTO ANGELI E QUATTRO PROFETI. Firenze, Uffizi

tp/tv 385×223 1285-86 c.

In condizioni non buone; il colore è piuttosto spento, l'ultimo profeta a destra molto danneggiato, l'oro in alcune parti ritoccato. In séguito a un antico restauro, alla tavola era stato dato un formato quadrangolare e vi erano stati aggiunti due angeli. Venne riportata alle primitive dimensioni alla fine dell'Ottocento e sottoposta a un restauro conservativo dopo la seconda guerra mondiale. Commissionata dai monaci di Vallombrosa per l'altare maggiore della chiesa di Santa Trinita (Vasari, 1568[2]), nel Quattrocento fu trasferita su un altare laterale per lasciar posto alla *Trinità* di Alessio Baldovinetti, e successivamente nell'infermeria del monastero di Santa Trinita. Trasportata ai primi dell'Ottocento all'Accademia, passò alla Galleria degli Uffizi nel 1919. Concordemente assegnata a Cimabue da tutti gli studiosi, a partire dal Billi e dal Vasari; fanno eccezione Wickhoff ("MIG" 1889), Richter (*Notes to Vasari's Lives*, 1890) e Langton Douglas (1903), che peraltro avanzano dubbi su tutte le opere attribuite al maestro. Discordi invece i pareri circa la datazione anche se la maggior parte della critica moderna inclina per un momento vicino agli affreschi di Assisi. Opera giovanile per Thode (1885) e Strzygowski (1888) fu ritenuta viceversa dal Suida (1905) una delle ultime del maestro in rapporto con il *San Giovanni* di Pisa (n. 44) mentre l'Aubert ("MFK" 1909) la considerò di poco precedente agli affreschi di Assisi, seguito da Van Marle (1923), Becherucci ("BA" 1937-38), Salvini (1946, "RIA" 1950), Vavalà (*Uffizi*, 1948) e Oertel (*Italian Malerei*, 1953); naturalmente, la datazione varia in base al periodo in cui ognuno dei suddetti studiosi pone il ciclo assisiate (si veda a tale proposito la scheda introduttiva al ciclo). Successiva agli affreschi della Chiesa Superiore di Assisi secondo Longhi (1948), Ragghianti (1955),

Bologna (1965); subito dopo tutte le opere assisiati per Coletti (1941), Sinibaldi (1943), Brandi (1951) e White (1966). Il Garrison (1949) la pone tra il 1285 e il '90; il Battisti (1963), dopo Assisi, poco prima del 1289; opera tarda la considera la Nyhlom (1969); secondo lo Stubblebine ("Marsyas", 1954-'57), si tratterebbe dell'ultima opera del maestro. La discordanza di pareri sulla datazione è pienamente giustificata, se si considera che la *Madonna* di Santa Trinita, in una convergenza di tematiche estremamente calibrate, riassume gli aspetti più personali della poetica di Cimabue, ove si escluda, naturalmente, la concitazione drammatica che esplode in alcune raffigurazioni di Assisi, e che non si addice certamente a questa pacata epifania della Vergine con il Figlio. Tuttavia, poiché in questa tavola appaiono sintetizzate le migliori esperienze formali e concettuali di Cimabue, converrà situare l'opera dopo il momento assisiate e con ogni probabilità prima del *Crocifisso* di Santa Croce (n. 43). Un insieme di antico e di nuovo — il 'vecchio' edificio formale bizantino e il 'nuovo' che emerge nel riproposto umanesimo classico-ellenistico —, in una ripresa operativa controllata e emozionata a un tempo, che presuppone tuttavia l'appassionante irripetibile esperienza assisiate, ma quanto qui immediatamente si avverte; la pala parrebbe riassumere, infatti, in un ripensamento attento e quasi puntuto, come in un diario, tutte le esperienze di Cimabue. Razionalismo e naturalismo, schematismo strutturale e simbolismo, rispetto della tradizione e tentazione acuta di superarne le vecchie formule (il che, per certi aspetti, avviene), fanno di questa Maestà, che pur parrebbe creata in serenità assoluta, una delle opere più meditate e inquiete del maestro. Se è vero inoltre che la pala venne commessa da Valentino II degli Abati (Battisti, 1963) propugnatore delle tendenze religiose più conservatrici, l'impatto dell'artista spregiudicatamente rinnovatore (anche se agganciato fortemente ai modi bizantini) quale si era espresso ad Assisi, con le esigenze limitative del committente dovette creare in Cimabue non pochi inquietudini, benché il problema di fondo (di una rilevanza e difficoltà estreme nella sua semplice evidenza) restasse soprattutto quello di aderire nel modo più consono alle istanze umanistiche che la situazione storica già fortemente avvertiva e andava formulando. Ponendo e anche esacerbando il rapporto tra vecchio e nuovo, qui Cimabue compie — e insieme a lui per altri versi analogamente opera Pietro Cavallini — il massimo sforzo per attuare la sintesi, e nel medesimo tempo il superamento degli opposti termini dialettici, tradizione e protoumanesimo, ottenendo un esito di grande equilibrio che se non è, né potrebbe essere, del tutto risolutivo, assume però il ruolo di un fondamentale messaggio al quale si riferirà Giotto nel momento in cui avvierà a soluzione esaustiva la problematica legata a quel com-

43[2]

plesso rapporto. Ci sia perciò consentito di ipotizzare che, una volta esaurita la ventata cavalliniana in concomitanza all'esilio avignonese, e concluso il messaggio cimabuesco entro i limiti che conosciamo, se Giotto non fosse stato pronto a recepire quelle aperture inattese ed esaltanti, l'umanesimo protorinascimentale avrebbe potuto rischiare di identificarsi soltanto con l' 'umana' dolcezza aristocratica di Duccio. La pala di Santa Trinita tradisce certo una fase di relativo malessere che in Cimabue insorge dopo i lavori di Assisi; qualcosa parrebbe incepparsi, mentre lo scoglio di posizioni solidissime da scardinare induce a un ripensamento dopo il linguaggio irruente e provocatorio coraggiosamente adottato nella basilica francescana; ciò non va inteso tuttavia come un accomodamento; le risorse intellettuali del maestro, qui pre-

senti in particolare sul piano tecnico, formale e iconologico, consentiranno egualmente, seppure su un piano diverso, di lanciare un messaggio e un appello. La pala rivela un rigore strutturo-architettonico ineccepibile. Le figure si dispongono in perfetta simmetria sul fondo oro ("il Landino afferma" osserva il Panofsky, "che Cimabue fu il primo a riscoprire, oltre ai 'lineamenti naturali', quella 'vera proporzione' che i Greci chiamano simmetria"), le distanze sono esattamente calcolate, le figure disposte in senso verticale — angeli e profeti — risultano in perfetta corrispondenza speculare (come in alcuni brani assisiati e con anticipo rispetto ad analoghe simmetrie care a Piero della Francesca). Il trono campeggia, illusivamente incurvato sul fondo, completamente diverso, con la sua frontalità che tuttavia non ingenera piattezza per l'ac

43[1] [Tav. XLI]

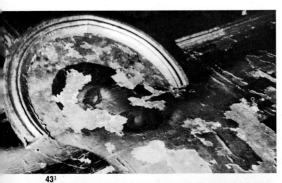

43³

43⁴

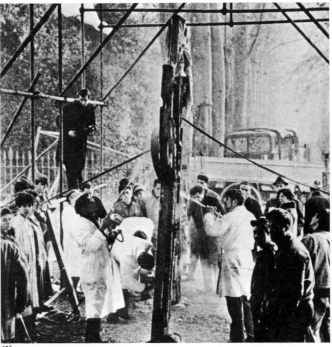

43⁵

centuata curvatura, da quelli della Maestà e della *Vergine in gloria* di Assisi (n. 6 e 14) situati obliquamente per conseguire un effetto di verosimiglianza dell'intera massa; nella pala di Santa Trinita infatti il 'corpo' del trono e la sua 'agibilità' sono recepibili in eguale misura per effetto di una volumetria esaltata sia dagli angeli affiancantisi ai lati e determinanti un effetto tattile, seppure visivamente sottinteso, sia dai vani coi profeti. Certo si tratta di una massa architettonica che genera un effetto prospettico — e perciò di vita nello spazio — limitato ai primi piani; ma ciò che la rende particolarmente efficace è il senso plastico che, di conseguenza, ne emana, fondendo in un *unicum* concettuale i diversi elementi della composizione. La decorazione del trono, a colonne tornite e con foglie d'acanto, riflette l'impeccabilità dei Cosmati e per certi aspetti la finezza di certa arte islamica; è eseguita con leggero tocco e non distrae: ogni immagine, infatti, riflette anche compositivamente e pittoricamente il ruolo assegnatole. Maggior spicco assume certo il gruppo in maestà con la Madonna 'odigitria', cioè Madonna che regge il figlio, mentre gli angeli in due file verticali e cromaticamente più diafani si dispongono lesti uno dietro l'altro a colmare lo spazio rimasto lungo i lati del trono, lasciandone però perfettamente intuire le pareti rimaste invisibili. Il fondo oro non produce il consueto senso di appiattimento e tutto si plasticizza in uno spazio inattesamente creato, in funzione di una massa scultorea, con risultati mai prima conseguiti in esempi consimili. Nella fascia con i profeti, Cimabue adotta un modulo spaziale inconsueto, pur giovandosi di una materia ostica quale l'oro del fondo. Conferendo convessità alle architetture, egli crea infatti una sorta di prospettiva "curva", in cui l'oro, anziché generare piattezza, suscita la sensazione di un vuoto senza limite, consentendo tra l'altro alle figure dei profeti non più di 'stare' come schiacciati contro una parete, ma di affacciarsi in quelle finestre-grotte in un loro spazio. L'elemento portante della pala consiste nella funzione assegnata alle strutture architettoniche, al loro ruolo strutturale che investe sia una impostazione spaziale di largo respiro sia il rapporto dialettico tra le diverse componenti (e si pensi a tale proposito all'immensa distanza che ci separa dalla pala Rucellai di Duccio). La disposizione dei profeti in basso potrebbe ben obbedire, come osserva il Battisti (1963), a "preoccupazioni dottrinarie (come quella di esibire una prova storica del mistero dell'incarnazione), che sottostanno, compositivamente come per epoca e dignità, alla sacra immagine". I profeti non posseggono la terribilità di talune figure assisiati: quelli centrali sono composti e solenni, in un atteggiamento che rivedremo, in analoga cifra stilistica, con Cavallini, in Santa Maria Donnaregina a Napoli (in entrambi questi casi, elementi della statuaria nordica si fonderebbero a spunti classici derivati dalla statuaria celebrativa e dai sarcofagi). Sui cartigli risultano leggibili, da sinistra a destra, le seguenti scritte: "Creavit Dominus Novum super terram foemina circumdavit viro"; "In semine tuo benedicentur omnes gen-

tes"; "De fructu ventris tuo ponam super sedem tuam"; "Ecce Virgo concipiet et pariet". La priorità di una puntuale identificazione dei quattro profeti e di una completa lettura delle scritte, anziché al De Wald (1966), come — erroneamente — riferisce la Nyhlom (1969), va ascritta alla Marcucci nella già ricordata pubblicazione del 1958, non citata dalla Nyhlom. Mentre i due profeti al centro (Abramo e Davide) vengono colti nell'atto di discutere sui misteri della concezione e della verginità (come stanno a indicare le scritte sui quattro cartigli), i due profeti laterali (Geremia e Isaia) si torcono rannicchiati in una caratterizzazione assurdamente inadeguata al loro rango. E la scelta di questa caratterizzazione non sembra, o non è soltanto, da spiegare sul piano strutturale-formale: essa può anche essere intesa come allusione al dualismo (e all'istanza di superamento) tra la rivelazione e il lungo tempo che la precede, così come al divario tra fede e ragione, relativamente al dogma che qui viene trattato. La capacità raziocinante dell'uomo (simboleggiata dai due profeti al centro) ansima di fronte alla inaccessibilità del mistero, fino a quando il velo del dubbio non viene squarciato dalla epifania del mistero svelato; e ciò presuppone naturalmente in questo caso la risoluzione per atto di fede del dualismo tra la ragione e il mistero della verginità-concezione. Ecco dunque le due figure al centro starsene in atto di ragionare, del tutto estranee, quasi ignorando l'apparizione (che è risoluzione, ma per fede, del dubbio) della Vergine in maestà con il figlio. Le due figure laterali per contro, avvertite dell'apparizione, ne sono sconvolte e poi 'rapite' in atto mistico, come la fede appunto esige, sì che i cartigli con le scritte, non più oggetto di esame, sono ormai meccanicamente stretti nelle loro mani. La meraviglia della epifania non è tuttavia esacerbazione nel mistero. Lo dice il volto della Vergine: sebbene infatti nei gesti e negli abiti del gruppo principale sia rispettata la grafia bizantina — righe sottili tirate in oro nei panneggi, in una ripresa pressoché identica del perizoma che fascia il corpo del Cristo ad Arezzo — il volto di Maria presenta caratteri del tutto inattesi, assai lontani — per la pungente caratterizzazione fisionomica che crea un rapporto diretto con lo spettatore — dalle Madonne di Coppo come pure da quelle, soavissime e pressoché contemporanee di Duccio, e già preannuncianti, per contro, l'arte giottesca. Giotto infatti, ricettivo a qualsiasi spunto nuovo affiorante in questo scorcio di secolo, avvertirà la tersa espressività di questo volto, non più filtrato dall'obiettivo prereogolato di una lunga tradizione iconografica ma finalmente sfiorato nel suo superbo tessuto formale dal palpito che è della carne vivente. Tutto questo egli infonderà alle sue Madonne pur così diverse da quelle cimabuesche, alla luce del gotico e di un ben più spregiudicato impianto strutturale e plastico.

43⁶

43⁷ [Tav. XL e XXXVII-XXXIX]

44 [Tav. XLIII-XLV]

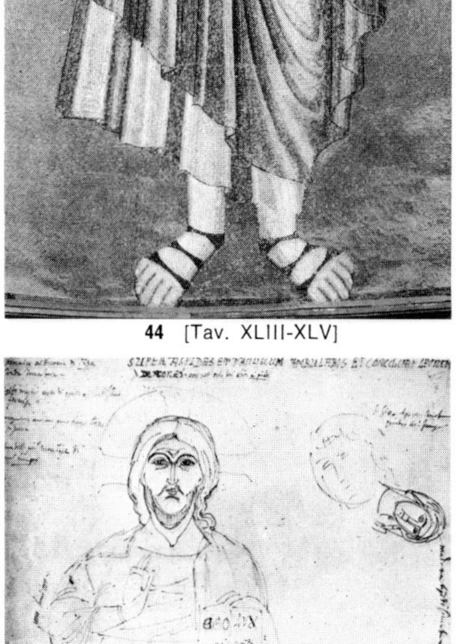

44[1]

43. CROCIFISSO. Firenze, Museo dell'Opera di Santa Croce

tv 448×390 1287-88 c.

Attualmente presso il laboratorio dei restauri della Soprintendenza alle Gallerie di Firenze. Mancante del clipeo in alto con il Cristo benedicente. Questo famoso Crocifisso, divenuto ancor più famoso dopo la parziale distruzione provocata dall'alluvione che colpì Firenze nel 1966, fu attribuito al maestro da tutte le antiche fonti (Albertini, Vasari, Borghini, Baldinucci, Bottari, ecc.) e venne con tutta probabilità dipinto per la chiesa di Santa Croce, come d'altra parte testimonia l'Albertini (*Memoriale*, 1510) che lo considera esistente da sempre nella chiesa. Alcune fonti lo ricordano nella zona sinistra del transetto, altre invece sulla parete di ingresso; variamente collocato durante l'Ottocento, passò quindi nel museo. Nel 1948 venne esposto agli Uffizi, finché ricevette la definitiva sistemazione nel Museo di Santa Croce, quando questo fu completamente ristrutturato. Nonostante l'alta qualità dell'opera e la tradizionale attribuzione a Cimabue da parte delle fonti più attendibili, non pochi studiosi hanno dubitato dell'autografia, a partire dal Da Morrona che nel 1792 (*Pisa illustrata*) poneva la Croce nell'àmbito pisano, mentre il Milanesi (ed. Vasari, 1878), non trovandovi nesso con la *Madonna Rucellai* da lui ritenuta di Cimabue, negò l'opera al maestro. Il Cavalcaselle, dopo avere assegnato (1864) la Croce a un anonimo fiorentino contemporaneo di Cimabue e di Margaritone, accettò in seguito (1875) la tradizionale attribuzione al maestro, mentre più tardi (1885) il Thode la riterrà di un contemporaneo. Anche A. Venturi (1907) escluse l'intervento del maestro e considerò l'opera di "un riduttore delle vecchie rappresentazioni, povero nel modellato". Il Van Marle (1923), pur ravvisandovi molti punti in comune con il grande Crocifisso affrescato ad Assisi (n. 22), riferì l'opera alla scuola, senza tuttavia condurre un adeguato esame e limitandosi a rilevare una certa fiacchezza nelle due immagini laterali. Accolto con riserva dallo Zimmermann (1899), in ciò seguìto dal Wackernagel (1912) e recentemente dall'Offner (1950), venne senz'altro riferito al maestro dall'Aubert (1907); da allora in linea di massima tutti gli studiosi si sono orientati definitivamente in tale direzione. Tra coloro che pur assegnando il *Crocifisso* a Cimabue vi hanno ravvisato la partecipazione, più o meno estesa, della bottega, sono il Nicholson, il Salvini, il Garrison e il Battisti (quest'ultimo soltanto per le due immagini laterali). La datazione, come per quasi tutte le opere del maestro, è controversa. Per la maggior parte degli studiosi l'opera è da situare tra il 1280 e il '90, mentre per alcuni è da spostare al 1290-1300. Nel 1929 la Vavalà, dall'esame del *Crocifisso* di Salerno di Coppo, datato 1274, conservato nel duomo di Pistoia e secondo la studiosa dipendente dal *Crocifisso* di Santa Croce, fu indotta a considerare il 1274 come termine *ante quem*; tuttavia, in tempi più recenti, la stessa studiosa (*Uffizi*, 1948) ha accolto l'ipotesi della datazione tarda. Il Longhi (1948), seguendo la prima ipotesi della Valalà, datò l'opera al 1270 circa, comunque prima del soggiorno romano di Cimabue, datazione accolta anche dal Bologna (1965) e dal Venturoli ("SDA" 1969), e respinta invece dal Salvini ("RIA" 1950) per il quale il *Crocifisso* di Pistoia "pone chiaramente come antecedente il *Crocifisso* di Arezzo, ma non quello fiorentino" (per un *excursus* critico più dettagliato, si veda oltre al *Catalogo della mostra giottesca*, 1943, n. 83, anche L. Marcucci, 1958). Più recentemente, lo Hager (1962) ha condotto uno studio inteso a dimostrare che la Croce di Cimabue è strettamente connessa all'altare della chiesa che è dedicata, occorre ricordare, al culto della Santa Croce. Il Battisti (1963) ha insistito sul fatto che il *Crocifisso* di Deodato Orlandi, conservato nella Pinacoteca di Lucca e datato 1288, risulta (come già suggerirono la Vavalà [1929] e l'Oertel ["ZK" 1937]) una imitazione di quello di Cimabue, e che in conseguenza questo dovette essere stato eseguito prima di quella data (un *ante quem* "che resta così abbastanza esattamente fissato in una data precedente, ma di poco, il 1288", come rileva il Salvini [1950]), anche se la costruzione della chiesa di Santa Croce ebbe inizio soltanto nel 1295; ma, aggiunge in proposito il Battisti (1967) tenendo presente lo stretto rapporto rilevato dallo Hager tra l'architettura d'altare e il dipinto, "possiamo pensare che Cimabue abbia partecipato ad almeno una riunione con l'architetto inizialmente incaricato del progetto della nuova chiesa o con i committenti, ed abbia discusso con loro la forma e la dimensione da dare al Crocifisso".

Esistono però anche ragioni stilistiche, di primaria importanza, che convincono a porre la Croce di Cimabue intorno a quegli anni: dopo il soggiorno romano, per l'esattezza, dopo il lavoro in Assisi, assai prima dell'ultima opera documentata (1301) del maestro, il piuttosto fiacco e arcaico *San Giovanni* di Pisa (n. 44). Opera della maturità, vicina per certi aspetti alla Maestà di Santa Trinita, la Croce è formalmente superba, espressione di una magistrale sintesi estetica in cui convergono le maggiori esperienze culturali assimilabili in quel momento: lo schema bizantino, la finezza di una tecnica pittorica e strutturale di altissimo rango, un realismo non fine a se stesso ma filtrato da uno stupefacente senso estetico di impronta classica, che in questo preciso momento si impadronisce di Cimabue in maniera travolgente. Questo Cristo si pone quindi in un rapporto nuovo con la tradizione iconografica. La nuova forma — e il nuovo contenuto che vi si accompagna — sono estranei ad ogni precedente, compreso il *Crocifisso* di Arezzo. Decisamente avulso dalle grifagne e cupe asperità di Coppo, ormai lontano dal manierato formalismo di Giunta, che pur nella Croce di Arezzo si era tradotto in qualità di gran classe e tuttavia ancor diversissima da questa di Santa Croce, certo incline al prepotente influsso del linguaggio bizantino, e nello stesso tempo dimentico della concitazione drammatica espressionisticamente dichiarata ad Assisi, il *Crocifisso* di Santa Croce attua, per la prima volta nella pittura cristologica medievale, una svolta chiara e precisa in senso classico. Non si tratta soltanto di un'opera di pittura, ma anche in un certo senso di 'scultura'; si veda il legno, modellato in puntuale, specifica funzione dell'insieme compositivo, e su cui prende forma, amalgamandovisi, il Cristo *patiens*; e il Cristo stesso poggiante sulla Croce con uno slancio estenuato che impercettibilmente stacca la figura sollevandola in uno spazio tangibile che ancor più leviga e nel contempo agghiaccia le membra livide. Non ravvisare in questo corpo, inclinato su un fianco come un dio di Prassitele, un'adesione piena e spiegata al classicismo, significherebbe non intendere una delle proposizioni più esaltanti e coraggiosamente arrischiate di questo momento dell'arte cimabuesca. La torsione risulta molto più accentuata rispetto a qualsiasi altra raffigurazione, precedente o contemporanea, del medesimo soggetto, ed è tale appunto in senso classico o anche, se si vuole, ellenistico; sorretto dal legno, il corpo giace nell'assoluto abbandono susseguente allo spasimo presentandosi quindi, pur nella sua naturalezza, quasi ai limiti del deforme. Il fianco sinistro, anziché disporsi verticalmente, si inarca — come già in Giunta e in altri ma qui con una più marcata evidenza che rasenta il neologismo figurativo — forzando il gluteo a mostrarsi, come quello destro, e assumendo così innaturalmente qualcosa di femmineo. C'è in tutto questo come il riflesso di un ghigno, che offese il Cristo, e che sta al fondo, sempre, di ogni mortificazione. Il perizoma di velo trasparente, di materia appena percettibile (il primo dipinto così), consente di scorgere in pieno la forma fisicamente ibrida che avvolge, imponendosi come un brano di magistrale finezza. La parte centrale del corpo, dall'ombelico in su, non sembra scorrere pittoricamente agevole (ci riferiamo all'immagine prima della rovina; tav. XLI e foto 43[1]), il che è da attribuire, verosimilmente, al fatto che vecchie ridipinture, sebbene rimosse, vennero integrate in modo poco adeguato da un restauro. È comunque da rilevare che, in questa zona in modo particolare, il fisico del Cristo risulta completamente svincolato, forse per la prima volta, dallo schema geometrico-simbolico dei Crocifissi romanici e bizantini, schema seguìto dallo stesso Cimabue ancora nell'opera di Arezzo (n. 4). Tuttavia, se scompare la suddivisione in zone pittoricamente distinte, la proporzione geometrica del corpo è rigorosamente rispettata, e ciò potrebbe significare un'altra premessa di carattere umanistico e razionalistico in questa fase creativa dell'artista. L'apertura delle braccia, così, corrisponde in misura al corpo eretto in verticale (ma tenendo conto anche dello scarto dato dal ripiegamento del fianco e del capo).

Ormai lontani, anzi del tutto scomparsi Coppo e Giunta, Cimabue imbocca la strada del canone formale classico; e il persistere del linguaggio tradizionale se mai, più che sottolineare un legame, accentua l'importanza del diverso messaggio. A riprova di questa scelta, si veda un brano di estrema eleganza: le gambe del Cristo che nella loro scultorea alabastrina levigatezza sono uno splendido saggio di perfezione classica. Si tratta di un particolare tanto realistico quanto astratto, che non trova riscontro nel mondo figurativo attorno a Cimabue, neppure nel classicismo di Nicola Pisano, permeato di romanico e di gotico, o nel forte e aspro umanesimo emanante dal *Crocifisso* affrescato da Giotto a Padova. Per ritrovare qualcosa di così straordinariamente eloquente, pur espresso con estrema contenutezza, bisognerà attendere Michelangelo; ovvero, risalendo indietro di alcuni anni, guardare a pittori neoellenistici come, ad esempio, l'autore della *Deposizione* nel ciclo di Nerezi, certo più snervato, ma nel quale "una ventata calda di umanissima drammaticità ricompone in un ritmo nuovo e appassionato le compassate cadenze della vecchia tradizione bizantina" (Salvini, 1950). Traspare dunque da tutta l'opera la ricerca di una soluzione estetica e strutturale in chiave classico-realistica, ricerca che tende a instaurare un più equo rapporto tra l'uomo e la divinità, e che si dichiara tanto più evidente quanto meno completa risulta ancora in alcune parti l'adesione al modulo classico: sul piano della "politezza" realistica infatti si discostano da quel modulo, oltre alla composizione dei fianchi di cui si è parlato, anche i piedi, le mani e il capo, che resta bistrato secondo certi schemi grafici della tradizione pittorica medievale. Ma quel che di nuovo si è osservato, soprattutto in senso classico, è già di una rilevanza fondamentale.

Il 4 novembre 1966, la piena dell'Arno abbattendosi su Firenze vi riversò un'ondata enorme di acqua melmosa e infetta; sommerse le strade, offesi palazzi, beni, opere d'arte. Tra i quartieri più colpiti del centro storico, quello di Santa Croce. Nel museo annesso alla chiesa, le acque raggiunsero rapidamente le opere che vi erano esposte; sollevandosi, con implacabile violenza ne offesero le superfici. Molti capolavori rimasero a lungo in quel mare di melma, fino al momento in cui, tra enormi difficoltà, non si riuscì a raggiungerli nel tentativo di salvare ciò ch'era ancora possibile salvare. Il *Crocifisso* di Cimabue era stato pienamente sommerso (alla foto 43[2], il *Crocifisso* ancora sul suo supporto, come si presentava ai primi operatori intervenuti). Lo si adagiò subito in piano, con la superficie pittorica rivolta verso l'alto, per evitare ulteriori danni (foto 43[3]); si provvide a una prima disinfestazione e vennero applicate veline protettive (foto 43[4]). Dopo circa un mese, fu sottoposto ad altra disinfestazione (foto 43[5]) e trasportato alla Limonaia nel giardino di Boboli; qui ebbero inizio i procedimenti preparatori al restauro vero e proprio, che venne successivamente eseguito nei laboratori della Soprintendenza alle Gallerie di Firenze, sotto la direzione di Umberto Baldini. In quell'occasione, il grande legno (foto 43[6]), tagliato e scolpito certamente sotto la guida di Cimabue stesso, venne separato dalla superficie dipinta, con un'operazione resa meno difficoltosa dall'esistenza della tela divisoria. Scrive il Baldini (*Firenze restaura*, Catalogo della mostra, 1972): "fa veramente impressione, oggi, vedere la grande Croce lignea privata della sua superficie pittorica. Vederla, cioè, come la vide e la ebbe Cimabue prima di farvi incollare la tela, stendervi l'imprimitura e dare inizio alla pittura. La sua grandiosità si esalta in questa nudità materica, le sue misure, la sua eccezionale proporzione diventano elementi straordinari di un'idea e di un disegno che dir perfetto è poco. Un'opera d'arte essa stessa...". Il restauro completo delle parti superstiti richiese tempi lunghissimi. La grande Croce, già prima della rovina si trovava in condizioni poco buone, nonostante il parziale restauro eseguito nel 1947-48. In alcune parti era caduto il colore (mano destra, spalla e braccio di sinistra, fianchi e piedi, aureola, alcune zone nelle figure della Madonna e di san Giovanni), mentre una patina sovrappostasi col tempo alla pittura originale, ne smorzava la brillantezza, le sfumature cromatiche, e le trasparenze soprattutto nel perizoma. Oggi quel che rimane (alla foto 43[7] se ne dà la ricostruzione fotografica) splende di nuovo come lo fece splendere Cimabue. Ma restano, angoscianti, i grandi vuoti incolmabili.

44. SAN GIOVANNI EVANGELISTA. Pisa, duomo

mosaico 1301-02

Si tratta di un particolare del mosaico raffigurante *Cristo in trono tra la Vergine e san Giovanni* nel catino absidale della chiesa. Dimensioni dell'intera composizione: 385×223. È la sola opera documentata di Cimabue (Trenta, *I musaici del duomo di Pisa e i loro autori*, 1896), al quale vennero effettuati pagamenti dal 2 settembre 1301 al 19 febbraio 1302 (si veda *Documentazione*), e che succedette nell'esecuzione del mosaico absidale a un maestro Francesco con l'incarico di aggiungere alcune figure accanto alla Maestà ("pro operando ipsum ad illas figuras que noviter fiunt circa Magiestatem inceptam in majori Ecclesie S. Marie"). La composizione venne completata prima del 1321 da Vincino da Pistoia. Benché il mosaico abbia subìto nel suo complesso un quadruplice restauro, che ne ha in parte alterato la fisionomia originale, la figura che sembrerebbe meglio conservata è il san Giovanni, unanimemente assegnato a Cimabue, sia perché porta evidentissima la sua impronta, sia perché viene citato come opera del maestro nel documento del 19 febbraio 1302 ("de summa libr. decem quas dictus habere debebat de figura S. Johannis quas fecit juxta Magiestatem"). Il Cavalcaselle, come risulta dalle scritte apposte su un disegno inedito (foto 44[1]), e dalle quali si ricava implicitamente il giudizio critico di questo studioso, considera l'intera composizione "molto meglio di quella del Battistero di Firenze" e la figura del Cristo un poco tozza ma "una delle più maestose di quei tempi", mentre il san Giovanni è "vero tipo di Cimabue quadro Ac.[a] di Firenze", da accostare cioè alla pala di Santa Trinita (n. 42) che allora si trovava all'Accademia fiorentina. A. Venturi (1907) ritenne che la partecipazione di Cimabue si fosse estesa anche al Cristo, di cui però nota l'aspetto ieratico e le forme alquanto tozze. A giudizio del Toesca (1927), il san Giovanni è parte di una composizione ideata da altri e "non può dare la misura del potere creativo di Cimabue". Il Van Marle (1932), oltre ad assegnare a Cimabue il san Giovanni, ritiene che il maestro abbia diretto anche altre parti della composizione, e cioè la cattedra su cui è assiso il Cristo e gli animali allegorici; non esclude inoltre una partecipazione alla figura della Vergine, completata però da altri in un secondo tempo. Il White (1966), per l'accentuata scansione dei piani considera l'intera composizione una notevole conquista nella pittura del Duecento; e pone la figura dell'evangelista in relazione con quella nella *Crocifissione* di Assisi (n. 22).

Anche per quanto riguarda la singola figura del santo, documentata, il giudizio della critica risulta discorde. Secondo alcuni, ci troviamo di fronte a un'opera stanca e nella quale il maestro dimostra di avere ormai poco o nulla da dire; secondo altri, essa è invece un capolavoro. Del tutto negativo il giudizio del Richter (*Lectures in the National Gallery*, 1898), secondo cui "nessuno potrebbe pensare di ascrivere l'opera, nelle sue attuali condizioni (e in particolare il san Giovanni, figura del tutto priva di interesse) a un grande maestro". Il Nicholson (1932) dà particolare evidenza all'opinione del Richter, osservando tuttavia che la figura risulta, in ogni caso, tipica del linguaggio cimabuesco. Piuttosto negativo il giudizio del Toesca (sopra riportato), al quale fa seguito il Soulier (1929) e ancor più quello del Salvini che considera il mosaico alquanto "manierato e accademico" (1946) e improntato (1958) "a un classicismo di vena romana, assai diverso dal classicismo ellenizzante di tradizione bizantina che si mescola al vigore occidentale della Madonna di S. Trinita e negli affreschi di Assisi". Secondo il Samek Ludovici (1956), infine, il "san Giovanni non rappresenta del tutto congruamente l'alta, la specifica poesia del pittore". Contro quanti espressero una scarsa valutazione dell'opera si pongono però i giudizi di gran parte degli studiosi attuali. Già il Supino (*L'arte pisana*, 1904) esalta la grazia e il sentimento del san Giovanni, in contrapposto al carattere duro e aspro della restante composizione; e il Chiappelli (1925) fa osservare "il progresso notevole sulle forme bizantine delle figure circostanti". Il Carli (*Pittura medievale pisana*, 1958) definisce il santo un capolavoro, mentre il Salmi (1958) vi scorge "una essenza plastica di origine romana". Molto positivo il giudizio del Battisti che, soffermandosi in particolare sulle qualità cromatiche dell'immagine, la definisce "un altissimo capolavoro". Anche per il Bologna (1965) si tratta di un'opera di grande qualità, nella quale sarebbe da scorgere un riflesso dell'arte di Giotto. In realtà, si trovano qui insieme diversi aspetti dell'arte cimabuesca: la componente classica, nell'ampia massa e nel panneggio della veste; quella bizantina, soprattutto nella delineazione astratto-geometrico delle mani e dei piedi; quella neoellenistica, nella delicatezza espressiva del volto. Cimabue mostra di attingere, per la realizzazione di quest'opera, soltanto al patrimonio vasto e prestigioso delle sue esperienze, con un risultato formalmente impeccabile e tuttavia, già in questo inizio del Trecento, privo della ricchezza di messaggi che aveva distinto la sua produzione precedente.

Altre opere attribuite a Cimabue

45. MADONNA COL BAMBINO IN TRONO E DUE ANGELI. Bologna, chiesa di Santa Maria dei Servi

tp/tv 218×118

La tavola, cuspidata, era stata arrotondata nella parte superiore; il fondo oro, ripassato; ridipinti il manto della Vergine, la veste del Bambino e il drappo dello schienale; anche i volti avevano subito rifacimenti. Dopo il restauro venne pubblicata dalla Becherucci ("BA" 1937). Il dipinto, allo stato attuale, presenta molte abrasioni e cadute di colore. Non risulta menzionato nelle fonti antiche; la prima notizia risale soltanto al 1850 quando il Gualandi (*Tre giorni in Bologna*) riferiva che la tavola era stata donata dal bolognese Taddeo Pepoli ai serviti, nel 1345. Attribuita a Cimabue da Thode, Strzygowski, Zimmermann, Aubert, Suida, Weigelt, Offner, Chiappelli, Supino, L. Venturi, P. Toesca, Berenson, Vavalà, Lavagnino (*L'arte medievale*, 1953), Becherucci, Volpe ("PA" 1954) e Venturoli ("SDA" 1969); dubitativamente dal Sirén e dal Coletti ("BA" 1937); con l'intervento di aiuti da Salmi ("E" 1937), Longhi, Ragghianti, Samek Ludovici e Battisti, con l'intervento di Duccio dal Bologna ("solenne capolavoro della pittura italiana", "PA" 1960). Viene assegnata alla bottega da Nicholson, Sinibaldi, Salvini ("RIA" 1950) e Lazarev ("RIA" 1955). Il Garrison (1949) l'assegna a un "Bologna Cimabuesque Master, 1295-1305". Negata a Cimabue da Frey, Wackernagel, Van Marle, Mather, D'Ancona. Per il Soulier è di un artista senese seguace di Duccio. (Si veda anche *Catalogo della mostra giottesca*, 1943, n. 84). Variamente collocata per quanto concerne la datazione: da un periodo primitivo (Sirén, Aubert, Suida, Weigelt, Longhi), a un periodo intermedio (Thode, Toesca, Salmi, Battisti, Bologna), a un periodo tardo (Strzygowski, Becherucci, Lavagnino, Venturoli). In questa inconsueta e stimolante opera, convergono, in una pure riuscita e smaliziata sintesi, spunti che partendo da Coppo di Marcovaldo, attraverso Duccio e Cimabue, giungono a modi quasi giotteschi. Il trono, anzitutto, la cui parte superiore, con il motivo del drappo, appare compositivamente ripresa da Coppo (*Madonna* dei Servi a Siena, e *Madonna* di San Martino a Orvieto); ma nella pala di Bologna esso si espande come in una barocca forzatura dello spazio, secondo una composizione che non sembra di poter attribuire a Cimabue, sia pure a un Cimabue in vena di originalità ma comunque di scarsa inventiva nell'arredare la pala, probabilmente commissionata dai frati serviti. La zona inferiore del trono è invece ripresa dallo schema assisiate (nella Maestà della Chiesa Inferiore, n. 6), ma è da notare che mentre ad Assisi — così come nella tavola degli Uffizi (n. 42), d'altra parte — il trono viene a costituire una massa portante che riempie e determina la composizione e sul quale la Vergine sta assisa senza invaderne la struttura, nell'opera di Bologna, al contrario, la figura della Madonna ricopre in senso longitudinale quasi tutta l'architettura, sì che il trono finisce col trasformarsi in un vistoso seggiolone. Disarmonico appare inoltre il rapporto tra l'intera parte superiore e i gradini in basso, piuttosto striminziti, mentre il piccolo arco sottostante al primo è forzato entro uno spazio soffocante, quando del tutto esaustivo risulta invece l'analogo brano assisiate. I due angeli in alto, disposti come nella *Madonna* coppesca di Orvieto, denotano qualcosa di cimabuesco, anche se sono ben lontani dal conseguire la compiutezza stilistica e formale degli angeli della *Madonna* di Santa Trinita che ne sono il modello. Il volto della Madonna, privo dell'assorta compostezza e della penetrante icasticità dei volti di Cimabue, palesa sentori giotteschi, e giustamente il Battisti (1963) fa notare che "una parentela abbastanza stretta, al di là delle singole differenze, unisce questa pala a un'opera problematica di Giotto giovane: la Madonna di San Giorgio alla Costa". È da aggiungere che parentele non troppo lontane esistono anche tra questo volto, maggiormente nella sua parte inferiore, e quello della *Madonna* del Maestro di San Martino (n. 76), mentre non è difficile ravvisarvi qualche spunto duccesco. Una sua peculiare caratteristica consiste nella assai vistosa rotondità, esulante essa pure dai volti mariani di Cimabue. Nel Bambino, colto nell'atto di invitare la madre a una più intima partecipazione, lo Strzygowski ha ravvisato un primo esempio di rapporti "di genere" tra Madonna e Bambino; ma è da precisare che un simile rapporto lo si può già osservare nella pur sciupata Maestà di Assisi. Giova ricordare infine che sia la Becherucci sia il Battisti si sono soffermati in modo particolare sulle qualità cromatiche e plasticoluminose, che costituirebbero una svolta importante nel cammino artistico di Cimabue (al quale i due studiosi assegnano la pala); si tratterebbe di una nuova conquista semantica del maestro destinata, oltretutto, a dare risalto alle masse e a equilibrare i volumi. Cimabue tuttavia aveva saputo offrire una prova delle sue alte capacità di colorista ad Assisi, e quanto li sussiste del colore originale è più che sufficiente a darne testimonianza. La pala di Bologna, dipinta verso il volgere del secolo, sembra dovuta in sostanza a un artista eclettico, epigono di modi già affermati e ambizioso di formulare nuove proposte.

46. MADONNA COL BAMBINO IN TRONO E ANGELI. Parigi, Louvre

tp/tv 424×276

Citata dal Billi e dal Vasari come esistente nella chiesa di San Francesco a Pisa, da dove fu asportata da Napoleone e trasferita a Parigi nel 1811. Lungo la cornice sono dipinti 26 medaglioni. Restaurata nel 1937-38. Il Sirén, cui si deve un'analisi della pala prima del restauro ("REA" 1926), ne rilevò le condizioni assai precarie: le vesti, soprattutto quelle delle figure centrali, erano completamente ridipinte e così anche l'oro di fondo e le aureole, insieme al bordo laterale con i medaglioni e le decorazioni gotiche. Per quanto riguarda la composizione, il Sirén faceva notare che mentre le fiancate del trono sono viste da un lato, "i gradini sono raffigurati frontalmente secondo una 'prospettiva inversa' che suscita un senso di instabilità. Per questo difetto di disegno, la costruzione non si regge, e perciò tutta la parte centrale dà una impressione di piattezza. È solo con il situare tre angeli uno dietro l'altro ai due lati del trono che l'artista riesce ad ottenere un certo senso di profondità"; nonostante ciò, il Sirén riferì l'opera a Cimabue pur non escludendo l'intervento della scuola. Il Da Morrona, già nel Settecento (*Pisa illustrata*, 1787-92) constatava notevoli differenze tra le *Madonne* di Cimabue e questa del Louvre, e significativamente la poneva in rapporto con la *Madonna Rucellai* (n. 48). Langton Douglas (ed. Cavalcaselle-Crowe, 1903) la riferì per primo alla scuola senese. Per il Suida ("PJ" 1905) si tratta di un'opera legata alla *Madonna Rucellai* che egli attribuisce a un ignoto maestro da lui denominato appunto Maestro Rucellai. L'Aubert (1907) e il Van Marle (1923) la ritengono opera fiorentina ma non di Cimabue. Il Soulier, in un attento studio (1929) che prendeva in esame anche gli aspetti tecnici della pittura di questo periodo nell'Italia centrale, attribuì l'opera a Duccio, ma come "libera copia da Cimabue", facendo tra l'altro rilevare i punti di similarità esistenti tra il volto della Madonna e quello della *Madonna Gualino* (n. 47) (dal Soulier attribuita appunto a Duccio). Oltre alle antiche fonti, l'assegnano, tra gli altri, a Cimabue: Thode ("RFK" 1891), Frey (1911), e A. Venturi (1907), che la giudicò simile, nientemeno, alla *Madonna* di Santa Trinita (n. 42), Berenson ("AA" 1920), Toesca (1927), che vi scorge influssi di Nicola Pisano, Sinibaldi (1943), Ragghianti ("Miscellanea minore di critica d'arte", 1946), Samek Ludovici (1955); tutti questi critici la riferiscono a un periodo tardo. Il Longhi (1948), supponendo un soggiorno di Cimabue a Pisa prima della partenza per Roma, l'assegna a un momento giovanile scorgendovi, come il Toesca, influssi di Nicola Pisano; l'opinione del Longhi sarà seguita dal Volpe ("PA" 1954), dalla Marcucci ("PA" 1956), e dal Bologna (1962). Il Battisti (1963) fa notare al riguardo che "mentre è documentata la presenza di Cimabue a Pisa nel 1301-2, è del tutto arbitrario voler presumere una sua attività, in quel centro, anteriore

45 46 47 49

ad Assisi e addirittura al viaggio a Roma". L'attribuisce a Cimabue, con l'intervento della bottega, il Salvini (1946), che vi scorge "un impeccabile accademismo anche nell'espressione atona del volto e nel gesto fiacco della mano della Madonna"; lo studioso considera la pala vicina al *San Giovanni* di Pisa (n. 44), quindi non giovanile, e nega che la possibile influenza di Nicola Pisano (o meglio di Arnolfo, come egli precisa) sia determinante per riferire l'opera all'attività giovanile del maestro. Egli vi riscontra inoltre un classicismo di stampo soprattutto romano, e fa rilevare che "una inconsueta atonia d'espressione rende ormai opaca l'arte di Cimabue" ("EUA" 1958). Per il Battisti l'opera è "tale da farla ritenere o un'opera incompiuta, finita dalla bottega, o derivata da un cartone autografo, di altissima qualità, ma travisato durante l'esecuzione". Alla bottega l'assegnano anzitutto lo Strzygowski (1888), indi il Nicholson (1932), cui sembra segnata da generale fiacchezza, il Garrison (1949), che tra l'altro riferisce a mani diverse i santi nei tondi della cornice, il Lazarev (1955) e il White (1966: "ovvero alla cerchia di Cimabue"). Per il Van Marle (1923) è opera di un seguace.

Di particolare interesse risulta l'esame di alcuni elementi della Maestà del Louvre. Il trono appare di legno come in altre Maestà di Cimabue, del tutto diverso da quello della *Madonna Rucellai* di Duccio. Situato in prospettiva ad angolo soprattutto nella parte inferiore, come i troni di Assisi; però di questi non possiede il respiro spaziale, mentre di quello, diverso, degli Uffizi (n. 42) non ha la perfezione architettonica e la forbitezza compositiva; inoltre, si innalza eccessivamente, così da comprimere quasi la testa della Madonna; e l'aureola, anziché nimbo solare che avvolga il capo sottolineandone la trascendenza (come quella degli Uffizi), viene a risultare una maldestra interpolazione, nascondendo la cuspide del trono ed appesantendo la testa della Vergine. Il volto di questa è duccesco, ma non è di Duccio, così come poco o nulla ha da

vedere con le Madonne di Cimabue; in particolare non possiede la vivacità espressiva unita a dolcezza, che è propria di quello degli Uffizi: l'espressione è assente e distaccata, memore del più tradizionale accademismo bizantino. Il manto scende lungo il corpo con pieghe sottili formando un panneggio ibridamente manipolato, che non è più bizantino, né mostra di risentire veramente della scultura di Nicola Pisano, nella quale gotico e classico si fondono in una formale sintesi plastica di ben diverso livello. E nemmeno mostra di risentire dell'arte romana degli ultimi decenni del secolo. Da rilevare inoltre che il corpo della Madonna (come nella Maestà di Bologna), invade la composizione occupando quasi tutto il trono, mentre la Madonna di Assisi e soprattutto quella degli Uffizi sono proporzionalmente più piccole, pure risultando più spiritualmente dotate. Gli angeli, infine, sono veramente diversi da quelli di Cimabue; ora sdolcinati ora sussiegosi, soprattutto gli ultimi due in basso che pretenziosamente presentano, "a miracol mostrare", il narcisistico scostante atteggiarsi dei loro volti; ma dietro la pretesa di proporre una sintesi plastica che vorrebbe assumere magari toni giotteschi, essi finiscono col il conseguire toni affettati, nella loro speciosa durezza compositiva. E anche le loro mani sono cose ibride, così esangui e devitalizzate, prive di una consistente costumanza con la forma, e che ben si adeguano all'artificiosa struttura delle due immagini; mani tanto diverse da quelle degli analoghi angeli nella pala degli Uffizi, modellate con vigore in ogni loro parte, e anche da quelle degli angeli nelle Maestà di Assisi, che pur menomate dai restauri, conservano egualmente struttiva pienezza e accuratezza di disegno. La pala del Louvre è di un pittore eclettico che ha cercato di imitare sia Cimabue che Duccio, guardando anche al Maestro di San Martino.

47. MADONNA COL BAMBINO IN TRONO. Torino, Galleria Sabauda

tp/tv 157×86

Ridipinta nel Cinquecento e

restaurata nel 1920. Già a Firenze presso l'antiquario Pavi, pervenne in proprietà Paoletti, poi Verzocchi, indi Gualino, donde il nome (*Madonna Gualino*); nel 1930 passò nella Galleria Sabauda. Nell'aprile dello stesso anno venne pubblicata ("II") dopo il restauro come opera di Duccio, e fu avanzata l'ipotesi che provenisse da Montughi presso Firenze. Riferita a Cimabue dal Sirén (1922 e 1926), che per primo la pose in relazione con la *Madonna* dei Servi (n. 45) e con quella del Louvre (n. 46), quindi dal Chiappelli (1925) e da L. Venturi (1926). A. Venturi ("A" 1926), pur rilevando spunti cimabueschi, fa notare legami con Coppo e forti caratteri bizantini nel trono e nel volto della Vergine. Il Van Marle (1923 e 1932) l'attribuisce allo stesso anonimo pittore fiorentino (influenzato dai senesi) al quale assegna anche la *Madonna* della chiesa di Sant'Andrea a Mosciano (opera tarda pure riferita talora a Cimabue, ma che nulla serba delle forme e della poetica del maestro) e ritiene insostenibile l'attribuzione a Cimabue. Il Weigelt (1930) accosta il dipinto al Maestro della Maddalena, e, pur riscontrandovi influssi senesi, l'attribuisce a un seguace di Cimabue. Per il Salmi (1935), la tavola è vicina a Cimabue, ma per la sua qualità cromatica fa pensare a un influsso senese. Il Toesca (1927) e il Berenson (*Italian Pictures*, 1932 e 1936) l'assegnarono al Maestro della Madonna Rucellai, da essi non identificato con Duccio; pure alla *Madonna Rucellai* l'accosta la Vavalà (1929). Successivamente, il Toesca (*Il Trecento*, 1951) colloca l'opera in ambiente cimabuesco e duccesco, e, nel rilevarne i brillanti toni cromatici, l'accosta alla *Madonna* dei Servi. Il primo ad attribuire, con un ampio e approfondito studio (1929), la tavola a Duccio fu il Soulier, secondo il quale i caratteri stilistici e tecnici dell'opera contrasterebbero con quelli propri di Cimabue. (Per un più capillare elenco delle varie attribuzioni fino al 1944 si veda il *Catalogo della mostra giottesca*, 1943, n. 90, dove il Sinibaldi dà particolare rilievo all'influsso di Cimabue, accanto a quello del Maestro della Maddalena e

a quello, però meno incisivo, di Duccio). L'attribuzione a Duccio (ma quale allievo di Cimabue) venne accolta dal Longhi (1948), indi dal Volpe ("PA" 1954) e dal Bologna ("PA" 1960). Secondo il Garrison (1949) si tratta di opera fiorentina intorno al 1280-90; per il Meiss ("RIA" 1955) di opera fiorentina sotto l'influsso di Duccio. Il Ragghianti (1957) considera la pala cimabuesca in relazione con la presenza di Duccio a Firenze. Per il Battisti (1963) l'opera "rientra nel novero delle più strette imitazioni di Cimabue".

Delle *Madonne* che, con maggiore o minore fondatezza, sono state attribuite a Cimabue, quella in esame, nel riprendere moduli da grandi maestri, più delle altre possiede qualità, regolata misura, accuratezza compositiva; è il risultato garbato di elementi di provenienza diversa: dalla spalliera del trono (Coppo) e dal panneggio (Cimabue), al Bambino e agli angeli (*Madonna* dei Servi), al volto della Vergine (Duccio) che manifesta un accenno, tuttavia subito raffrenato, alla intensa dolcezza del maestro senese. Poiché, d'altra parte, la sola Madonna di Cimabue alla quale si possa fare sicuro riferimento è la *Madonna* di Santa Trinita (n. 42) (essendo quella della Maestà di Assisi, n. 6, radicalmente alterata, così come sono rovinate quelle degli affreschi assisiati nella Basilica Superiore), non risulta difficile riconoscere la sostanziale diversità tra il maestro fiorentino e l'autore della pala della Galleria Sabauda.

48. MADONNA COL BAMBINO IN TRONO E SEI ANGELI (Madonna Rucellai). Firenze, Uffizi

tp/tv 450×290

Già tra la fine del Trecento e l'inizio del Quattrocento un anonimo commentatore toscano della *Commedia* dantesca riferiva l'opera a Cimabue. L'attribuzione venne successivamente accolta da tutti gli storici, a partire dal Vasari (1568²), fino a Strzygowski (1888), Zimmermann (1899) e Thode ("RFK" 1890). Il Wickhoff per primo ("MOG" 1899) — basandosi su un documento del 1285, pubblicato dal Fineschi fino dal 1790

e stranamente rimasto ignorato, in cui viene riferito dell'allogagione della Maestà a Duccio — assegnò l'opera a quest'ultimo. Successivamente, tutta la critica moderna non ha più ritenuto di contestare l'attribuzione al maestro senese. Fanno eccezione Fry ("MR" 1901), Rintelen ("KG" 1911), Chiappelli (1925), L. Venturi (*Il gusto dei primitivi*, 1926) che insistono sulla paternità cimabuesca. Il Sirén (1922) ritiene che la pala, commessa a Duccio, sia stata da questi iniziata e che sia poi intervenuto anche Cimabue. Infine, il Perkins (*Giotto*, 1902) considera l'opera di un anonimo e, basandosi su tale indicazione, il Suida ("PJ" 1905) parla di un Maestro della Madonna Rucellai. Quest'ultima ipotesi riceve credito, anche se con sfumature diverse per quanto concerne il collegamento ora con Duccio ora con Cimabue, presso il Berenson, il Cecchi (*Trecentisti senesi*, 1928) e il Toesca. (Per maggiori dettagli circa le vicende critiche si vedano: Sinibaldi-Brunetti, *Catalogo della mostra giottesca*, 1943, n. 33; Marcucci, *I dipinti toscani del XIII secolo*, n. 22; Bacheschi, 'Classici dell'Arte - 60', n. 2). Ciò che maggiormente stupisce, nella lunga vicenda critica della pala Rucellai, è il riferimento a Cimabue avanzato ancora in tempi abbastanza recenti. Nulla o quasi in essa, infatti, si avverte dell'arte del maestro. Non il trono, completamente dissimile da quelli cimabueschi perché sottile ed esile, lavorato come ad arabesco, del tutto gotico nella composizione e in taluni motivi architettonici; non gli angeli, che equivalgono alla firma stessa di Duccio e rappresentano l'elemento non-cimabuesco per eccellenza: magnificamente atteggiati, secondo ritmi lineari di stupefacente finezza, essi recano nei volti una distaccata soavità tutta duccesca; non la Madonna, infine (nel gruppo principale un rapporto con Cimabue lo si potrebbe scorgere se mai nel Bambino), che può appartenere solo a Duccio: con le sue morbide cadenze, che ne fanno un'immagine di purezza ineffabile, essa ignora affatto il mondo di Cimabue, inserendosi pienamente nella sfera poetica, ormai ben definita, del

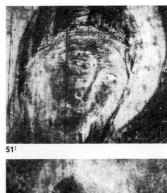

51¹

51²

48   50   51   51²

maestro senese; un mondo, quello di Duccio, ben delineato e concluso, reso incantevole e insinuante dalla flessuosità delle linee compositive e dalla delicatezza delle modulazioni cromatiche; un mondo, occorre aggiungere, che non eserciterà su Giotto alcun influsso di rilievo.

49. MADONNA CON IL BAMBINO IN TRONO, I SANTI GIOVANNI BATTISTA E PIETRO E DUE ANGELI. Washington, National Gallery of Art (Kress)

tp/tv 34×25

Già nella raccolta Contini Bonacossi di Firenze, passò alla galleria di Washington nel 1948. Attribuita a Cimabue dal Longhi (1948), dal Suida (*Painting and Sculpture from the Kress Collection*, 1956) e dal Bologna (1960). Dal Garrison (1949) e dal Brandi (1951) è ritenuta di un artista fiorentino influenzato da Cimabue. Per il Samek Ludovici (1956) è strettamente legata all'arte di Cimabue. Il Carli (1958) vi avverte un ricordo dei "ripetuti soggiorni di Cimabue a Pisa". Il Battisti (1963) la cita tra le opere attribuite da altri a Cimabue. Convincente la tesi del Garrison; da rilevare che i caratteri bizantini appaiono molto accentuati.

50. MADONNA CON IL BAMBINO IN TRONO E I SANTI FRANCESCO E DOMENICO. Firenze, Uffizi

tp/tv 133×81

Già nella raccolta Contini Bonacossi, alla quale pervenne dalla collezione E. Hutton di Londra; ceduta agli Uffizi con il lascito Contini, con cui è attualmente esposta alla Meridiana di palazzo Pitti. Venne pubblicata come opera di Cimabue dal Longhi (1948), per il quale il maestro manifesta qui "la sua intenzione di delibare alquanto" da Giotto; attribuzione accolta dal Bologna (1960). Il Garrison (1949) l'assegna al "Bologna Cimabuesque Master", cioè all'autore della *Madonna* dei Servi (n. 45), datandola intorno al 1305-15; il Brandi (1951), a un artista influenzato da Cimabue e da Duccio. Il Salvini (1956) l'attribuisce alla bottega di Cimabue, mentre secondo il Samek Ludovici (1956) si permane incerti nell'assegnarla al maestro. Il Ragghianti (1957) vi scorge "gli effetti dell'adduzione delle immagini cimabuesche allo stile di Giotto". Il Battisti (1963) la elenca tra le opere attribuite da altri a Cimabue. Per il Venturoli ("SDA" 1969) si tratta di un'opera di Giotto giovane, precedente il Crocifisso di Santa Maria Novella. L'opera, divenuta cromaticamente brillante per il recente restauro, è ibrida, un vero *assemblage* di motivi, di ricordi, di tentativi. Dal viso "di cartapesta" della Madonna, che meglio si attaglierebbe a un estenuato pittore tardogiottesco, a quello imbambolato di san Domenico; da quello malaccortamente dipinto — e il risultato è una goffa smorfia — di san Francesco, a quello degli angeli, di un'ambigua soavità. Il trono, emergendo frammentariamente tra i personaggi, non svolge alcun ruolo strutturale e risulta inoltre disarmonicamente costruito. Lo spregiudicato imitatore ha tentato di richiamare il prestigioso segno di Cimabue nel panneggio, accademico e compendiario, e ancora nei capelli arruffati del Bambino; ma anche in questo caso il risultato è molto scadente, giacché la capigliatura è scomposta in modo alquanto sconsiderato e comunque stridente con l'atteggiamento della figura. Cosa rimanga di Cimabue o di Giotto in questa pala è difficile dire; al tempo stesso sarebbe arrischiato proporre alcun nome, che in ogni caso non risulterebbe svantaggioso.

51. MADONNA COL BAMBINO IN TRONO E ANGELI. Careggi, convento delle Oblate Ospitaliere

tp/tv 151×71,5

Completamente ridipinta nel Quattrocento; un riferimento alla paternità del dipinto originale è consentito soltanto dalle radiografie (foto 51¹-51²) eseguite dal laboratorio dei restauri della Soprintendenza alle Gallerie di Firenze, in base alle quali sono state avanzate proposte attributive. Il Garrison (1949) riferisce la pala al "Bagnano Master" datandola al 1280-90, mentre lo Hager (1962) la pone in relazione con la pala di Santa Trinita (n. 42). Il Battisti (1963), nel pubblicarla come opera di Cimabue, precisa che è "con tutta certezza da identificarsi con la piccola pala fatta eseguire da Folco Portinari per l'altar maggiore dell'ospedale di Santa Maria Nuova da lui fondato nel 1285 e consacrato nel 1288 e di cui esistono citazioni abbastanza numerose". Soltanto un restauro, che liberi la pittura originale dalle ridipinture, potrà consentire di esprimere un puntuale giudizio, e di stabilire quindi l'importanza di questo documento pittorico.

Vetrata del duomo di Siena

Situata nel grande 'occhio' (diam. m. 7) della parete absidale, è suddivisa in nove scomparti (n. 52-60), con 'storie' della Vergine nella fascia centrale (dall'alto in basso), i quattro evangelisti negli spicchi e due coppie di santi. Restaurata varie volte. Lo studio più recente e fondamentale è quello di Enzo Carli (*Vetrata duccesca*, 1946), che oltre all'esame critico e ai documenti contiene la storia attributiva, ne viene offerta una esauriente sintesi dalla Baccheschi ('Classici dell'Arte - 60', n. 3-11) alla quale si rimanda; ci si limita qui a riepilogare le principali attribuzioni, completandola di alcuni dati relativi soprattutto alle opinioni più recenti. Già attribuita a maestro Jacopo di Castello da Siena, in base all'errata interpretazione di un documento pubblicato dal Milanesi (*Documenti per la storia dell'arte senese*, 1854), l'attribuzione venne confutata in base a elementi certi dal De Nicola ("RAS" 1911), che per la prima volta ravvisò nella vetrata caratteri duccheschi e ritenne che il cartone fosse stato eseguito da un ignoto allievo di Duccio verso il 1320, "giacché non vi sono documenti che si oppongano a credere che in quel tempo l'attuale muro absidale fosse già tirato su". Quest'ultima asserzione poté essere facilmente controbattuta dal Lusini ("RAS" 1912) al quale riuscí di dimostrare come nel 1320 i muri absidali del duomo non erano stati ancora portati a compimento; il Lusini credette quindi di poter identificare l'autore della vetrata con Andrea di Mino, un artista ritenuto seguace di Duccio e tuttavia formatosi nell'ambiente della cattedrale di Orvieto; datò l'opera a dopo il 1320, giacché solo dopo il 1359 fu completata la costruzione dell'abside. Questa posizione della critica, è ribadita in anni ancora abbastanza recenti dal Perkins (*Guida di Siena*, 1924), che ritiene la vetrata opera di un tardo seguace di Duccio. Nel 1944 Peleo Bacci (*Documenti e commenti per la storia dell'arte*) pubblica un documento in cui si attesta che in una delibera del 1287 il Comune di Siena stabiliva che la grande finestra rotonda situata dietro l'altare maggiore doveva essere munita di una vetrata, decisione peraltro ribadita in un altro documento dell'anno successivo. Tuttavia, il Bacci non trasse dal documento, in base al fondamentale elemento della datazione, le necessarie deduzioni e ribadi l'attribuzione a Jacopo di Castello. Sarà merito del Carli imprimere una svolta alla questione attributiva, avanzando il nome di Duccio: "la grande vetrata, testimonianza mirabile e veneranda di una tecnica venuta d'Oltremonte e che solo in quegli anni cominciava a fiorire nei più eletti centri della civiltà artistica del Medioevo italiano, ad Assisi e a Siena, il più cospicuo ornamento che s'abbellì la Cattedrale senese dopo la costruzione del pergamo di Nicola Pisano, è opera di diretta ispirazione duccesca. Nessun altro, all'infuori di Duccio di Buoninsegna, poté idearla e disegnarne i cartoni, se pur il maestro stesso non cooperò anche in qualche parte alla sua materiale esecuzione". Ma già il Carli si preoccupava di rilevare forti componenti cimabuesche, giustificate o con il permanere, nel maestro incaricato di tradurre in vetro il cartone, di "convenzioni tecniche e manuali acquisite in altro ambiente, non esclusivamente senese o duccesco, ma più sensibile ad influssi fiorentini, o meglio ancora assisiati"; ovvero con il fatto che Duccio "conservasse ancora delle impressioni del suo soggiorno a Firenze dove non è affatto da escludersi che si sia incontrato con Cimabue". Il cimabuismo della vetrata verrà sottolineato pure dal Coletti (1949), ma non come risultato di una diretta influenza sul maestro senese da parte di Cimabue, bensì quale semplice eco delle impressioni ricevute da Duccio nel corso di un possibile soggiorno assisiate, tra l'85 e l'88. Dopo l'attribuzione del Carli, gli studiosi hanno accettato la paternità duccesca della vetrata, eccezion fatta per il White (1966), che dopo il Carli è stato il solo a dedicare ampio spazio al suo studio, e secondo il quale questa si deve a Cimabue o alla sua stretta cerchia. Lo studioso infatti, mettendola in relazione con le contemporanee vetrate gotiche europee, osserva che si tratta del primo esempio di vetrata italiana dovuta a un pittore di affreschi, e aggiunge che lo stile dell'opera, da considerare come uno dei maggiori esempi dell'arte italiana del tardo Duecento, soprattutto per quanto riguarda certe intuizioni spaziali, appare inconciliabile con lo stile di Duccio. In particolare, nota il White, sul piano compositivo l'uso di superare con le aureole i bordi decorativi non è riscontrabile in Duccio, mentre, sul piano stilistico, gli elementi cimabueschi assumono un rilievo significativo. Inoltre, per quanto riguarda i troni che qui a Siena sono di marmo, mentre nelle opere precedenti di Cimabue ad Assisi e a Firenze sono di legno, il White osserva che questo è proprio il momento (la fine del nono decennio) in cui appunto si verifica il passaggio dalle figurazioni dei troni in legno a quelli in marmo; la *Dormitio* (n. 59), infine, rappresenterebbe un esempio senza precedenti di un vero e proprio *tour de force* in termini di struttura spaziale e per il vario atteggiarsi delle figure". Vi sono dunque buone ragioni, conclude lo studioso, per assegnare il cartone della vetrata e ancor più la composizione di alcune teste, non a Duccio, bensì allo stesso Cimabue, comunque alla sua stretta cerchia; e in ogni caso, nonostante l'ubicazione, l'ipotesi di una paternità di Duccio resta la più remota.

In effetti, non riesce facile inserire la vetrata in un qualsiasi momento dell'attività duc-

52-60

57¹

58¹

to (Carattoli, "MF" 1886). Venne elencato dal Toesca (1927) tra le opere che "riflettono in vario grado la maniera di Cimabue". Attribuito dal Longhi (1948) a Cimabue, dal Garrison (1949) alla scuola. L'attribuzione a Cimabue venne accettata dal Salvini ("RIA" 1950) e dal Bologna (1963) che considera la tavola precedente alla Maestà della Basilica Inferiore (n. 6). Il Battisti (1963) la ritiene "una mediocre derivazione del ritratto di S. Francesco della Basilica Inferiore". Secondo padre Giuseppe Palumbo (comunicazione scritta, 1973) si tratta di "una copia del particolare della Maestà della Chiesa Inferiore eseguita prima dei ritocchi di Guido da Gubbio". La qualità del dipinto farebbe pensare a una maldestra imitazione.

cesca. Anche volendo ammettere un sia pur momentaneo ascendente di Cimabue sul maestro senese, non si spiega egualmente come l'autore della *Madonna Rucellai* (n. 48), priva di spunti cimabueschi, potesse mostrare, in un'opera tra l'altro di tanto impegno come la vetrata in esame, un così dichiarato cimabuismo, o quanto meno un linguaggio per molti aspetti tanto diverso da quello della *Madonna Rucellai*, del 1285, soprattutto se si ipotizza un soggiorno assisiate di Duccio prima di tale data. Se invece si presuppone un suo viaggio ad Assisi tra il 1285 e il 1288, risulta egualmente improbabile che un maestro, la cui personalità artistica si era ormai precisamente e solidamente delineata per "un suo fondamento ben meditato nella cultura neoellenistica bizantina e in quello spirito di classicità romana che, partendo da Pisa, subito si tingeva di spiriti gotici" (Vigni, "EUA", IV, 1960), potesse soggiacere in maniera tanto vistosa, come è dichiarato nella vetrata di Siena, a un linguaggio altrui per molti aspetti tanto diverso dal proprio. Anche negli angeli dell'*Incoronazione* (n. 53) che parrebbero le parti maggiormente vicine a Duccio, non si può non ammettere una nota di diversità rispetto agli angeli di quest'ultimo nella *Madonna Rucellai*, o nella Maestà di Sie-

na; gli angeli dell'occhio di vetro risultano infatti più aspri, meno pervasi dalla serena soavità duccesca, più marcati nei tratti fisionomici, e ciò indipendentemente da certe esigenze della tecnica vetraria, quelle "esigenze tecniche e manuali" notate proprio dal Carli. Ma dove il divario tra il linguaggio di Duccio e quello della vetrata si fa più stridente è altrove: non solo nel *San Luca* (foto 58¹), la cui estraneità da Duccio è totale, sì che lo stesso Carli rimane perplesso; questa figura a vederla "isolata e senza sapere a che opera appartiene", osserva molto equilibratamente lo studioso, "più d'uno di noi probabilmente non esiterebbe a giudicare ispirata da Cimabue, se non proprio eseguita su disegno di questo Maestro" (però saremmo tentati di accostare questa figura piuttosto al linguaggio del maestro nordico operoso nel transetto di Assisi); e non solo nell'angelo con *San Matteo* (n. 54), che è estraneo, nel panneggio e nell'atteggiamento, ai modi ducceschi; ma anche e soprattutto nei quattro santi laterali (n. 55 e 57), un vero e proprio inserto nordico in un'opera che per altri versi presenta spiccati caratteri italiani, e in particolare nel san Savino (foto 57¹) i cui tratti incisivi del volto rammentano più da vicino la grafia del maestro d'Oltralpe operoso ad Assisi. E inol-

tre la Vergine assunta parente strettissima del Cristo apocalittico di Cimabue, e l'angelo in basso a sinistra nell'*Assunzione* (n. 56), tanto simile agli angeli che nelle vele di Assisi sfiorano il capo degli evangelisti (n. 17-20). E, ovunque, quello scalar di piani in modo così geometricamente marcato da. non rammentare affatto i modi compositivi, più suasivamente fusi, di Duccio. Ciò si avverte in particolar modo nella "*Dormitio*" (n. 59), dove anche la tipologia dei volti segna uno stacco problematico rispetto alla tipologia propria di Duccio. Infine il trono dell'*Incoronazione* (n. 53), che per la spiegata ampiezza e il peculiare scorcio, può rammentare solamente il trono della *Vergine in gloria* di Assisi (n. 14). Quanto qui accennato, induce a un'estrema cautela nello stabilire una precisa paternità a questa vetrata. Sembra in ogni caso da scartare sia il nome di Duccio sia quello di Cimabue. Perché ciò che risulta predominante in quest'opera è la personalità di un artista influenzato — e magari partecipe — dalla decorazione del transetto di Assisi, e non soltanto da quella cimabuesca ma anche da quella gotica del maestro d'Oltralpe.

52. SAN GIOVANNI EVANGELISTA

Nella fascia superiore, a sinistra.

53. INCORONAZIONE DELLA VERGINE

Nella fascia superiore, al centro.

54. SAN MATTEO

Nella fascia superiore, a destra.

55. SANTI BARTOLOMEO E ANSANO

Nella fascia mediana, a sinistra.

56. ASSUNZIONE

Nella fascia mediana, al centro.

57. SANTI CRESCENZIO E SAVINO

Nella fascia mediana, a destra.

58. SAN LUCA

Nella fascia inferiore, a sinistra.

59. "DORMITIO VIRGINIS"

Nella fascia inferiore, al centro.

60. SAN MARCO

Nella fascia inferiore, a destra.

61. SAN FRANCESCO. Assisi, Museo di Santa Maria degli Angeli

tp/tv 107×57

Si tratta, secondo la tradizione, della tavola adoperata come coperchio per il loculo del san-

62. FLAGELLAZIONE. New York, Frick Collection

tp/tv 24,7×20

Proviene dalla collezione Knoedler di Parigi; passò nella Frick Collection nel 1950. Il Meiss ("AB" 1951) l'assegnava a Duccio; contemporaneamente, il Longhi ("AN" 1951) l'attribuiva a Cimabue. L'attribuzione del Longhi è stata accettata dal Volpe ("PA" 1954) e dal Bologna ("PA" 1960). Il Brandi (1951) e la Vavalà (*Sienese Studies*, 1953) considerano l'opera cimabuesca. L'attribuzione del Meiss è stata accolta dallo Chastel ("Revue des Arts", 1951), dal Carli (*Duccio*, 1952), e dubitativamente dal Pope Hennessy ("BM" 1952). Opera duccesca ma eseguita in ambiente fiorentino è ritenuta dallo Shapiro ("Scritti in onore di L. Venturi", 1956) dal Battisti (1963), e dalla Baccheschi ('Classici dell'Arte - 60', n. 140). I cataloghi della Frick Collection l'hanno variamente indicata come opera di Duccio, duccesca, toscana. Lo Stubblebine, che in un primo tempo (*Guido da Siena*, 1964) l'aveva assegnata alla scuola di Duccio, in un recente saggio ("Gesta", 1972) ha riferito la tavoletta al "St. Peter Master", cioè all'autore del paliotto con san Pietro e sei storie, conservato nella Pinacoteca di Siena, datando l'opera alla prima metà del Trecento. L'opera, a nostro avviso, sembra mostrare anche caratteri riferibili all'ambiente romano staccatosi da Cimabue ad Assisi.

63. NATIVITÀ. Firenze, Longhi

tp/tv 17×19

Fa gruppo con i n. 64-66. Le quattro tavole furono attribuite a Cimabue dal Longhi (1948). Il Garrison (1949) le assegna a un maestro veneziano, intorno agli anni 1315-35. Per il Brandi (1951) vi si possono ravvisare soltanto motivi pre- o para-cimabueschi. Secondo il Samek Ludovici (1956) si tratta di opere interessanti, non tali tuttavia da giustificare l'assegnazione al maestro; opinione che riteniamo di condividere.

64. ULTIMA CENA. New Orleans, Isaac Delgado Museum of Art (Kress)

tp/tv 17×18

Si veda al n. 63.

65. CATTURA DI CRISTO. Portland, Art Museum (Kress)

tp/tv 18×16

Si veda al n. 63.

66. GIUDIZIO UNIVERSALE. Milano, propr. priv.

tp/tv 17×19

Si veda al n. 63.

Polittico Artaud de Montor

Già nella collezione parigina Artaud de Montor, nel cui catalogo erano registrati i tre elementi ora in proprietà Duveen (n. 67-69) insieme a due altri scomparti, in seguito dispersi, con *San Giovanni Battista* (n. 70) e una *Sant'Orsola*. Il polittico era ivi attribuito a Margaritone d'Arezzo.

67. SAN PIETRO. New York, Duveen

tp/tv 67×35

Apparteneva alla raccolta Hamilton, insieme coi n. 68-69. Le tre tavole furono attribuite a Cimabue dal Berenson ("AA" 1920), seguito da Sirén (1922), Valentiner (*Early Italian Paintings Exhibited in the Duveen Galleries*, 1926) e L. Venturi (*Pitture italiane in America*, 1931); con la stessa attribuzione vennero indicate nel catalogo (a cura di Seymour de Ricci) della mostra d'arte italiana tenuta a Parigi nel 1935. Negate al maestro dall'Offner ("TA" 1924). Considerate probabile opera di Cimabue dal Toesca (1927); di bottega, dal Van Marle (1923) e dal Samek Ludovici (1956); di scuola, dal Nicholson (1932), dalla Sinibaldi (1943) e dal Ragghianti (1957). Il Salmi ("RIA" 1935) pubblicò il *San Giovanni Battista*, rintracciato nel museo di Chambéry, come scomparto del medesimo polittico, giudicandolo insieme al resto opera di bottega (opinione che condividiamo), e proponendo una datazione tarda rispetto a quella, intorno al 1272, già proposta dal

61

62

Berenson. Il Longhi (1948), e recentemente anche il Previtali (*Giotto*, 1967) e il Volpe (1969), assegnano il polittico al Maestro di San Gaggio (dal nome dato all'autore della *Madonna in trono* dell'Accademia di Firenze proveniente da San Gaggio), mentre il Garrison (1949) lo riferisce a un pittore romano-cimabuesco.

68. CRISTO BENEDICENTE. New York, Duveen

tp/tv 79×56

Si veda al n. 67.

69. SANT'IACOPO. New York, Duveen

tp/tv 67×35

Si veda al n. 67.

70. SAN GIOVANNI BATTISTA. Chambéry, Musée des Beaux-Arts

tp/tv 58,5×34

Si veda al n. 67.

Affreschi della cappella Bardi

Riportati alla luce nel 1906 nella cappella della chiesa di Santa Maria Novella a Firenze; in cattivo stato di conservazione. Considerati opera di Cimabue dal Toesca (1927) e dal Berenson (1932). Lo Stubblebine ("P" 1973) li ritiene di Cimabue e scuola, e identifica il *Santo in trono* con san Zenobio anziché con san Gregorio come propongono il Toesca e il Berenson.

71. CRISTO IN TRONO FRA DUE ANGELI

af

72. SANTO IN TRONO FRA DUE DIACONI

af

Affreschi della cappella Velluti

Decorano la cappella della chiesa di Santa Croce a Firenze; deteriorati. Soltanto in alcune parti contengono qualche vaga reminiscenza cimabuesca. Furono assegnati a Cimabue dal Thode (1885) e da A. Venturi (1907). Il Ragghianti (1955), riferisce dubitativa-

mente al maestro il *Miracolo sul monte Gargano*. Lo Zimmermann (1899), assegnava a un artista influenzato da Cimabue e da Giotto il primo affresco, e a un artista influenzato da Giotto l'altro. Il Van Marle, che in un primo tempo ("RAA" 1919) li aveva considerati cimabueschi, in un secondo tempo (1923) condivide l'opinione dello Zimmermann. La tesi di quest'ultimo è accolta anche dal Nicholson (1932). Negati a Cimabue dal Toesca (1927) e dal Salvini (1958). Il Battisti (1963) li elenca tra le opere attribuite da altri a Cimabue.

73. SAN MICHELE E IL DRAGO

af

74. MIRACOLO SUL MONTE GARGANO

af

75. CRISTO CROCIFISSO CON LA MADONNA, SAN GIOVANNI EVANGELISTA E QUATTRO ANGELI. Firenze, propr. priv.

tp/tv 93×59

Attribuito a Cimabue dal Volpe ("V" 1966) che lo data al 1280. Parrebbe opera di artista d'Oltralpe, franco-tedesco (per le figure), ma operoso (come attesterebbero le architetture) a Roma e ad Assisi.

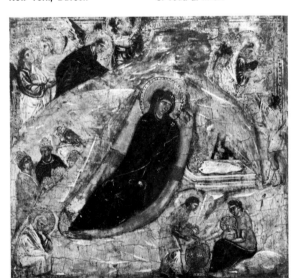

63

64

65

66

MAESTRO
DI SAN MARTINO

Con questo appellativo conven-
zionale viene designato l'auto-
re della Maestà qui riprodot-
ta, dal nome della chiesa dove
la pala si trovava originariamen-
te. In base a considerazioni sti-
listiche, si può supporre che il
maestro fosse attivo in Pisa già
intorno alla metà del sec. XIII,
ma non è possibile precisare
se si trattasse di un pittore di
origine orientale ovvero di un
italiano fortemente influenzato
dall'arte bizantina neoelleni-
stica allora fiorente nella città to-
scana. Secondo alcuni studiosi
(si veda anche al n. 76), il Mae-
stro di San Martino sarebbe da
identificare col pittore Ranieri
di Ugolino.

76. MADONNA COL BAMBINO
IN TRONO. Pisa, Museo Nazio-
nale di San Matteo

tp/tv 162×125

Ai lati della Madonna sono sei
'storiette': cinque relative alla
vita della Vergine e di Gioacchino, l'ultima (in basso a destra) con i *Santi Pietro, Paolo,*
Jacopo e Giovanni; ai piedi del
trono è raffigurato *San Martino*
che dona il mantello al povero.
Già nella chiesa pisana di San
Martino. Il Da Morrona (*Pisa il-*
lustrata, 1787) l'assegnava a un
artista greco-pisano, mentre il
Grassi (*Descrizione storica e ar-*
tistica di Pisa, 1838) indicava la
paternità di Cimabue. Successivamente, a parte i caratteri bizantini quasi concordemente ri-
conosciuti (ne dissente il Van
Marle), la pala è stata riferita
soprattutto all'arte di Giunta
(Supino, Sirén, Vavalà, Lazarev)
e di Cimabue (A. Venturi, Chiappelli, Toesca, D'Ancona); dal
Cavalcaselle a entrambi gli artisti. Il Sirén ("RAA" 1914) rilevò
affinità con Nicola Pisano e così

67   68   69   70

pure il Van Marle (1923); il
Wulff ("PJ" 1916) vi lesse motivi
gotici, il Vitzthum e il Wol-
bach ("HK" 1924) soltanto influssi bizantini. Per il Muratov
(*La pittura bizantina*, 1928) è di
un maestro neoellenistico. Il
Coletti (1941) ritenne "felice
la designazione di quest'opera
come neoellenistica da parte di
Muratov". Per il Lazarev ("BM"
1936) l'autore della pala è un
artista di cultura bizantina gra-
vitante però nell'orbita delle
maestranze operose nel Battistero di Firenze. Il D'Ancona
(*Les primitifs italiens*, 1935)
accosta il dipinto all'arte di
Guido da Siena mentre la Sinibaldi (1943), nel sottolinear-
ne i preminenti caratteri bizantini,
avverte un influsso gotico. Il
Garrison ("BM" 1947), che data
l'opera al 1285-90, ampliando
un'intuizione dell'Offner, i-
dentifica l'autore dell'opera
con Ranieri di Ugolino, seguito
dal Cuppini ("C" 1952), dal Battisti (1963) e dubitativamente
dal Ragghianti (1955). Il Longhi
(1948), che data la pala intorno
al 1260 e comunque non dopo
il 1270, ritiene il Maestro di
San Martino fortemente influenzato dall'autore degli affreschi
nella cripta del duomo di Anagni, e considera alcune storie
laterali come "sue favole antiche dove i caprai armeni e si-

riaci si tramutano per incanto
in pastori di Sabina e di Ciocia-
ria". Il Salvini ("RIA" 1950), datando l'opera verso il 1275, la
considera eseguita prima degli
affreschi di Assisi e della *Ma-*
donna di Santa Trinita (n. 42),
poiché in queste opere si riflette l'adesione di Cimabue a
una "sorta di classicismo di
vena ellenica" appreso appunto dalla *Madonna* di San Martino. Il Ragghianti (1955), osserva che l'autore della pala, pur
attento alle qualità tipiche della pittura pisana, "si muove li-
beramente nelle esperienze
dell'arte di Coppo e di Cimabue", e lo considera in conseguenza operoso non prima di
quest'ultimo. Il Carli (1958), ritiene che il Maestro di San
Martino attui la felice fusione
di forme neobizantine con la
cultura figurativa italiana del
Duecento che ha in Nicola Pisano il suo più valido esponente, e considera l'autore della pala come un "significativo
antecedente della grande pittura senese". Il Bologna (1962),
non dà rilievo ai caratteri o-
rientali dell'opera e la pone invece in rapporto con l'arte centro-meridionale e in particolare
con i motivi provenzali assimi-
lati da questa, e la data, acco-
standosi alla tesi del Ragghianti, a non prima del 1270-75; ri-

tiene infine il Maestro di San
Martino influenzato da Cimabue, del quale costituirebbe
non soltanto un'alternativa,
ma anche un'antitesi. L'opera, per la complessità e la
varietà delle sue componenti,
potrebbe essere definita semplicemente eclettica, se non
possedesse nel contempo tali
spiccati caratteri di originalità
da farne un chiarificante punto di riferimento nel contesto
della pittura italiana della seconda metà del Duecento. È
evidente che in essa i caratteri
neoellenistici appaiono predo-
minanti; gli stessi rapporti che
si possono instaurare, sul piano meramente grafico, con Nicola Pisano, non contrastano
affatto, dato l'eminente carattere classico nella scultura del
Pisano, con gli aspetti neoellenistici della pala anch'essi ric-
chi di spunti classici; onde si
può benissimo concludere con
il Muratov come risulti "arti-
ficiale una simile ricerca di
cause fortuite per un fenomeno
generale di tutta un'epoca". Il
Salvini, nel porre, come si è
detto, in grande risalto il neoellenismo del Maestro di San
Martino, considera valida la tesi del Longhi circa una dipen-
denza di questo artista anche
dal Maestro di Anagni; tuttavia, pur non negando all'arte
di entrambi particolari caratteristiche occidentali, insiste sul
fatto che anche il Maestro di
Anagni è di formazione neobizantina, muovendosi però "lungo quella linea di sviluppo propria del tardo bizantinismo di
provincia", mentre nel Maestro
di San Martino il fare neoellenistico diviene più alto e solenne; e conclude riproponendo
una tesi del Nicholson, secondo cui esisterebbero anche precisi nessi tra l'arte neoellenistica macedone e quella di Cimabue. Le relazioni del Maestro di San Martino con l'arte
bizantina del XII e XIII secolo
sono evidenti; basti paragonare, ad esempio, alcuni volti
delle scene laterali con quello
degli evangelisti del Codice
Vaticano gr. 1158, ovvero considerare i quattro santi a destra in basso, che sono del
tutto affini all'arte monumentale bizantina, anche se la tipologia dei volti dichiara una
correzione in senso 'francescano'. Oltre a ciò, spunti legati a
diverse locali espressioni pittoriche italiane, spunti caratte-
ristici e meno aulici, e che o-
rientativamente si possono de-
finire precimabueschi li si riscontra in particolare sia nel
volto di san Martino, sia in
quello di san Pietro. E fin qui,
a parte il considerevole valore
di documento culturale che si
offre nei complessi termini di

una felice sintesi, nulla parrebbe accreditare l'opera come
qualcosa di veramente straordinario e fondamentale. Ove
però ci sembra che questa
Maestà venga ad assumere importanza basilare, è nei punti
in cui, una volta affacciate le
tematiche più significative alle quali si ispira, ne valorizza
gli schemi in un ammoderna-
mento discreto delle immagini,
epperò determinante ai fini degli sviluppi che si verificheran-
no allo scorciare del secolo,
fino a Giotto medesimo. È tuttavia da rammentare ancora
una volta che ciò avviene sul
terreno della universale cultura ellenistico-bizantina, la quale di volta in volta può assumere connotati differenti a seconda della natura del terreno
in cui s'imprime; e in questo
caso il terreno è quello italiano. Il Maestro di San Martino
dimostra non soltanto di riuscire ad amalgamare due modi
per tanti aspetti diversi, ma di
saper trarre dal loro accostamento un risultato nuovo: nuovo, non tanto come specifico linguaggio ma come proposta di mutamento. Il volto
della Madonna in questa Maestà pisana, ove lo si immagi-
nasse liberato dalle consuete
obbligate fasce d'ombra, ver-
rebbe a stabilirsi come il
precedente più antico di quel cambiamento estetico-fisionomico
che va a sfociare nei primi e-
sempi giotteschi. Il volto della
Madonna di San Giorgio alla
Costa, la si riconosca o meno
di Giotto, ma che delle nuove
forme giottesche fa senz'altro
parte, trova in questo volto paf-
futo della Madonna di San Martino, assorto ma per nulla illan-
guidito (come pur sempre illan-
guiditi permarranno i volti di
Duccio), un'autentica premessa. E lo stesso dicasi per il
Bambino panciuto, assiso sal-

71

73

74

72

75

damente e senza contorsioni
coppesche; un preciso punto
di riferimento per Cimabue,
Duccio e Giotto stesso. Per
quanto riguarda alcune affinità
riscontrabili tra personaggi delle storie laterali e una figura
dipinta nel *Crocifisso* di San
Tommaso dei Cenci, si veda al
n. 81.

120

NICOLA PISANO

Nato intorno al 1220 e morto tra il 1278 e il 1284. È indicato in documenti come Nicola "de Apulia", e ciò attesterebbe la sua origine pugliese. Sue opere principali, e grandi capolavori dell'arte scultoria del Duecento, sono il pulpito di Pisa condotto a termine tra il 1259 e il 1260, e quello di Siena (1265-68); entrambi eseguiti, soprattutto il secondo, insieme ad aiuti.

Il nucleo dell'arte del maestro è classico. Nel pulpito di Pisa in modo particolare, pure accanto a influssi gotici, viene espressa in maniera più diretta la relazione con la scultura antica, da Nicola conosciuta sia in Puglia sia a Pisa. Mano a mano tuttavia che l'arte del maestro si fa più matura, la sua scultura si arricchisce di accenti gotici (come nel pulpito di Siena) e di inflessioni espressionistiche, benché sempre calibrati da una misurata sobrietà, mentre vanno assumendo forma sempre più esplicita quei risvolti già chiaramente umanistici della sua arte che tanta influenza eserciteranno sugli artisti della seconda metà del Duecento.

77. MADONNA COL BAMBINO. Siena, duomo

marmo

L'allogagione del pulpito della cattedrale senese a Nicola Pisano è documentata da due contratti stipulati a Pisa il 29 settembre 1265. L'opera venne condotta a termine nel mese di novembre 1268. Insieme a Nicola presero parte ai lavori il figlio di lui Giovanni, Arnolfo di Cambio e alcuni aiuti. La critica ha variamente distinto le parti da assegnare a Nicola; a lui vanno riconosciute l'ideazione del pergamo e l'esecuzione della maggior parte delle scene delle figure angolari, una delle quali è la Madonna col Bambino di cui viene riprodotto qui un particolare. Si è voluto porre, accanto alle opere di Cimabue e di alcuni pittori pregiotteschi, questo meraviglioso brano nicoliano, tanto diverso dalle immagini cimabuesche, perché esso riflette la più matura esperienza dello scultore pisano, alla quale Giotto guardò come a un chiarificante modello di ispirazione e senza dubbio con maggior interesse di quel che mostrasse nei confronti della meno accostumante arte cimabuesca. Quando scolpisce il pulpito senese, Nicola ha tra l'altro assimilato, accanto al classicismo già dichiarato in maniera particolarmente robusta del pergamo di Pisa, anche il gotico francese. A Siena, l'arte del Pisano attinge perciò maggiore compiutezza, mentre si va configurando un umanesimo *ante litteram* che diverrà per Giotto, insieme a quello annunciato dal Cavallini, un punto di ispirazione fondamentale. Se dal classicismo rinnovato del Cavallini, Giotto trarrà linfa per il nucleo centrale del suo dettato pittorico, dalla scultura di Nicola Pisano, egli accoglierà non soltanto l'aspetto umanistico, ma anche il sottile profilarsi di un processo di armonica osmosi, tra differenti componenti stilistiche, che già avvia alla ricerca di un rinnovato linguaggio estetico. L'umanesimo nicoliano — nel quale si compongono equilibratamente "cultura profana e vigore religioso" (Nicco Fasola, *Nicola Pisano*, 1941) — sta infatti alla radice della grande scultura italiana postmedievale, ma contiene anche "un'altissima sintesi dei molteplici volti di un'epoca" (Carli, *Il pulpito di Siena*, 1943). È una sintesi di energie culturali, stupendamente attuata sul piano formale, ed è anche una proposta di rinnovamento; non è né potrebbe essere, tuttavia, sintesi che dichiari una ben definita nuova visione figurativa: manca, a metà del Duecento, la componente storica necessaria che scaturirà in seguito dalla evoluzione del mondo medievale in un mondo diverso. Soltanto allora, la sintesi figurativa potrà conseguire un risultato veramente nuovo e risolutivo.

Nel brano qui riprodotto, il realismo classico-gotico di Nicola Pisano raggiunge vette altissime. Il fattore umano assume risalto intenso e struggente, ma nello stesso tempo resta come estraniato; come se, appunto, allo slancio innovatore dell'artista non corrispondesse sul piano storico una realtà umana veramente nuova cui potersi riferire. Ed è perciò che una sorta di allontanante disincanto prevale ancora.

MAESTRO DELLA CATTURA

Appellativo con cui viene di solito designato l'anonimo autore dell'affresco raffigurante la Cattura di Cristo (n. 78) della Chiesa Superiore di Assisi. Anche se il nome ci è ignoto, la personalità artistica risulta abbastanza chiara e definibile nell'àmbito del complesso pittorico della navata; una personalità così preminente da aver fatto pensare anche a un suo importante ruolo direttivo, e si è perciò ravvisata la sua mano pure in altre parti della decorazione della navata. Il 'Maestro della Cattura' è indubbiamente un artista di notevole spicco nel quale, come rileva il Meiss (1971), "sono presenti alcuni degli elementi fondamentali che formeranno lo stile giottesco".

78. CATTURA DI CRISTO. Assisi, basilica di San Francesco (Chiesa Superiore)

af

Situato sulla parete sinistra della navata. Dopo le tradizionali attribuzioni al Cavallini (Strzygowski, Langton Douglas) e al Torriti (Zimmermann, A. Venturi), e a parte le influenze cimabuesche più o meno concordemente riconosciute, di recente la critica si è soffermata con particolare interesse su questo fondamentale esempio della decorazione assisiate. Il Toesca (1927) lo ritiene eseguito sotto la diretta sorveglianza di Cimabue; per il Muratov (*La pittura bizantina*, 1928) è di un maestro ellenistico-romano; il Van Marle (1932) vi ravvisa la presenza di un pittore eclettico, influenzato dal Cavallini, da Cimabue e dal Torriti, cui

lo studioso assegna anche il *Crocifisso*, con la *Flagellazione* sul retro, della Pinacoteca di Perugia. La Marcenaro ("A" 1937), sulla base di affinità tipologiche nei volti, l'accosta alla *Cena in Betania* di Manfredino da Pistoia conservata a Genova in Palazzo Rosso. Per il Coletti (1949) è di un imitatore di Cimabue che però non attinge le vette del maestro; per lo Gnudi (*Giotto*, 1959) si tratta con ogni probabilità di un artista, vicino a Gaddo Gaddi, operoso nel Battistero di Firenze, dal Longhi chiamato "penultimo maestro del Battistero"; per il Bologna (1962), il maestro della *Cattura* "dovette staccarsi dalla medesima costola di Cimabue da cui si staccò Duccio", e sarebbe da identificare con Gaddo Gaddi; per il Ragghianti ("CA" 1969) si tratta di un artista cimabuesco vicino a Gaddo Gaddi; per il Volpe (1969) di un artista i cui modi sono vicini a quelli del fiorentino Maestro di San Gaggio, cui pure sarebbe da attribuire il polittico Artaud de Montor (si veda al n. 67); la tesi del Volpe viene seguita dal Donati ("BA" 1972). Lo Smart (*The Assisi Problem and the Art of Giotto*, 1971), nel rilevare i motivi nuovi contenuti nell'affresco, tiene anche a sottolineare le differenze con il mondo figurativo giottesco. Infine, il Boskovits ("PA" 1971), riequilibrando i termini di una indagine che rischiava di incanalarsi, esageratamente, in senso unico, considera l'autore della *Cattura* proveniente dalla scuola del Torriti, aggiungendo che potrebbe trattarsi anche di un artista "scaturito dalla cultura umbra sotto l'ispirazione della cultura fiorentina e romana"; lo studioso ritiene inoltre possibile che nelle due ultime campate della navata non fosse Giotto a dirigere i lavori, ma un pittore più anziano di lui, e precisamente il 'Maestro della Cattura'.

La *Cattura di Cristo*, alla quale si è voluto qui conferire particolare risalto, è da considerare un brano fondamentale per la comprensione del dinamismo con cui avanza il processo figurativo in questi anni di fine secolo, prima dello sbocco nella risolutiva sintesi giottesca. Nell'affresco permane ancora l'eco individuante della pittura cimabuesca: così nella stupenda severa rigidezza, e tuttavia significativamente espressiva, del volto del Cristo, e nel panneggio del suo manto, come nei due vecchi raffigurati nel gruppo a destra; mentre nei contrasti marcati di luce e ombra, resi magistralmente con sottile finezza pittorica, si può ancora ravvisare il riflesso di quell'arte siriaco-etrusca ricordata giustamente dal Soulier (1924). Da certe figurazioni etrusche e poi dall'arte murale ellenistico-bizantina viene derivata la curva che forza e deforma il collo ripiegato di Giuda, e quel gonfiarsi infitre delle spalle come in un rigurgito dello spirito malato. Sono impronte che si rifletteranno anche nell'*Assunzione della Vergine* di San Salvatore Piccolo a Capua. Al Torriti e soprattutto al Cavallini, va anzitutto raffrontato il volto del Cristo. Ma se da un lato il Maestro della Cattura

76

emerge sul Torriti per un maggiore impegno di modernità, sia nell'ideazione compositiva sia nella calibratura delle masse (e anche per questo motivo sembra opportuno affiancargli, nell'esecuzione della vicina *Natività*, un aiuto che l'osservazione della figura di Giuseppe indurrebbe a identificare con l'anonimo autore dei tondi con *Profeti*, già attribuiti anche a Giotto, nella chiesa romana di Santa Maria Maggiore);

77

dall'altro il distacco dal Cavallini, per tecnica e per contenuti, è profondo; il Maestro della Cattura, pur nella sua 'modernità', non riesce a superare la maniera tradizionale, anche recente; i suoi panneggi sono a metà strada fra Cimabue e l'imitazione della scultura antica; il suo Cristo resta sempre permeato di ieraticità bizantina, e anche la figura a capo scoperto alle spalle di Giuda, un esempio felicissimo di realismo, non riesce affatto a divenire emblematica di un linguaggio nuovo, ma sta soltanto a significare una ragguardevole maniera di ritrarre un'immagine naturale.

Dove questo maestro attinge invece un risultato veramente innovatore è nel movimento, e nell'atmosfera di tensione che emana dal dipinto. Nella *Cattura*, gli aspetti più validi della tradizione figurativa risultano accostati in modo elegante e geniale; il rapporto ne scaturisce ben calibrato e acceso al tempo stesso: ciò che non si dà invece per il Cavallini, la cui disarmante pacatezza è come la necessaria conseguenza del suo ormai diverso linguaggio. Le figure cavalliniane appartengono alla fase nuova, pregiottesca o giottesca, scaturita anche dalle molteplici esperienze convergenti più o meno tutte in Assisi. Perciò nel Cavallini non ritroviamo la maniera abilissima, ma intrisa di accademismo, che traspare dal disegno del Maestro della Cattura, così come tra il volto del Cristo nella *Cattura* e quello del Cristo cavalliniano in Santa Cecilia (n. 89) la differenza è fondamentale: ad Assisi l'immagine è sorretta dallo stilema intellettualistico di una linea marcata che sembra preludere addirittura a Giotto, in Santa Cecilia è una pastosità pittorica, al suo primo apparire, che asseconda l'umano dichiararsi del Cristo.

Il porre variamente in rapporto la *Cattura* con diverse opere della seconda metà del Duecento è pertinente, ora in maniera pertinente (Cimabue, Torriti, Cavallini), ora con confronti piuttosto vaghi e forzati, e il ricercarvi, sia pure a mo' di proposta, spunti fiorentini determinanti, significa voler privare questo capolavoro delle sue componenti culturali più genuine. Non ci si è mai preoccupati invece di riferirlo al ciclo neoellenistico di Sopočani, dove non soltanto nella tecnica del panneggio (*Trasfigurazione, Apparizione di Cristo alle donne*), ma anche nella ti-

78 [Tav. XLVI]

79

80

pologia dei volti si riscontrano straordinarie identità: così che, ad esempio, il volto del fanciullo in basso a sinistra nella *Cattura* sembra addirittura copiato dal volto dell'apostolo Giacomo nella *Trasfigurazione* di Sopocani. Si tratta probabilmente di relazioni indirette, magari di ricordi, non di perfetta identità di linguaggio. Ma il rapporto è di fondamentale importanza, perché nel pittore romano che eseguì la *Cattura* si riflette in sostanza quel processo di maturazione che se pure costituì un grande passo in avanti — in senso neoellenistico — da parte della cultura figurativa neobizantina, nello stesso tempo rappresentò lo sforzo estremo ed ultimo di quella cultura, perché il neoellenismo, come ha esattamente osservato il Muratov, non sarà più in grado ormai di trovare il metodo veramente nuovo che le nuove istanze esigevano. Il metodo nuovo verrà acquisito gradualmente, e in ogni caso non per improvvisa folgorante intuizione da parte del genio sommo; vi contribuiscono i gotici e Cimabue, i cosiddetti maestri ellenistici-romani e poi Cavallini, e infine Giotto che attua appieno la nuova sintesi di forma-contenuto.

MAESTRO DI ISACCO

È l'autore delle due 'storie' (n. 79-80) della vita del patriarca, che alcuni studiosi hanno ritenuto anche di identificare ora col Cavallini, ora con Giotto, ora con un grande maestro ellenistico-romano. L'autore dei due affreschi è certamente un pittore eminente, di formazione ormai matura, che rappresenta oltretutto un fondamentale punto di passaggio dalla pittura dell'ultima metà del Duecento a quella di Giotto.

79. INGANNO DI GIACOBBE. Assisi, basilica di San Francesco (Chiesa Superiore)
af 300×300

Sulla parete destra della navata, nel registro mediano della seconda campata, a sinistra della bifora; a destra, è il n. 80. I due affreschi, danneggiati, costituiscono un prezioso documento del processo figurativo postcimabuesco e sono stati oggetto, per le difficoltà che presenta la loro attribuzione, di accesi dibattiti da parte della critica. Come alta emerge infatti la loro qualità, così assume anche primaria importanza il loro ruolo nella controversa questione del passaggio dal momento cimabuesco e romano-cavalliniano a quello giottesco. Benché conservino ancora un'eco (ma ormai quasi spenta), di modi cimabueschi soprattutto nei panneggi, e seppure attengano, con grande evidenza, al fare del Cavallini nello schema compositivo e nella monumentalità solenne delle immagini, e preludano quindi al gesto realisticamente umanizzante di Giotto, ciò nonostante le due 'storie', per le loro singolari proprietà compositive e cromatiche, si profilano come isolate lungo le fasce dipinte della navata. Per quanto riguarda

le attribuzioni (per cui si rimanda alla Baccheschi, 'Classici dell'Arte - 3', n. 1-2) sono stati proposti i nomi ora del Cavallini ora di Giotto, ora di un Maestro di Isacco (identificato anche con Gaddo Gaddi), ora di un anonimo grande artista neoellenistico; nomi avanzati a volte come semplice proposta, a volte con certezza apodittica, e tuttavia mai con argomentazioni tali da generare un pieno convincimento. In questa sede interessa sottolineare soprattutto ciò cui prima si accennava, e cioè che i due affreschi si configurano, nel contesto assisiate in particolare e in quello della cultura figurativa della fine del Duecento in generale, come basilare elemento di passaggio dal momento cimabuesco a quello giottesco. Questo è un punto fermo dal quale non conviene astrarsi. Per le due 'storie', dunque, si è ipotizzata anche la paternità giottesca. L'attribuzione a Giotto si deve al Thode (1885); e venne poi accolta da altri studiosi, dallo Zimmermann, al Berenson, al Toesca, il più convinto assertore quest'ultimo, alle cui motivazioni ha fatto soprattutto riferimento quella parte della critica che ritiene di ravvisare nei due affreschi la mano del giovane pittore toscano. Il Toesca (*Gli*

81

81¹

81²

81³

affreschi dell'Antico e del Nuovo Testamento nel Santuario di Assisi, 1947) vi riscontra "quelle nuove qualità in grado anche più alto di altri vicini affreschi che attribuisco agli esordi di Giotto e pertanto li suppongo dipinti dopo di questi (per una interruzione di cui sarebbe vano congetturare le ragioni) da Giotto stesso, memore ancora di Cimabue ma più consapevole del colorire di Pietro Cavallini". Come si vede, lo studioso, per spiegare la diversa (più alta) qualità rispetto alle altre scene bibliche (che non sono oggetto della nostra indagine) da lui stesso riferite pure a Giotto, è costretto a interporre un buon lasso di tempo, e avanza perciò l'ipotesi di una inspiegata "interruzione". Ma in ogni caso, anche ammettendo tale ipotesi e supponendo una priorità nell'esecuzione delle 'storie' del Vecchio Testamento attribuite a Giotto rispetto a quelle di Isacco, resta pressoché inspiegabile il fondamentale salto di qualità, di 'stile', esistente tra i due gruppi, salto di qualità che si sarebbe dovuto verificare oltretutto in un lasso di tempo estremamente breve, e dopo che a Roma Giotto avrebbe potuto vedere o rivedere esempi figurativi di Arnolfo e soprattutto del Cavallini, la cui influenza sul giovane pittore, tuttavia, i più tenaci assertori della paternità giottesca delle 'storie' di Isacco suppongono del tutto marginale o addirittura nulla. Ma a parte tali problemi di sequenza, è certo che i due affreschi, per le loro specifiche qualità, si pongono isolati nel contesto delle altre scene testamentarie. Si tratta di un dato incontrovertibile sul quale occorre soffermarsi: le due 'storie' si differenziano infatti da tutte le altre della navata, sia da quelle che risentono ancora di Cimabue, sia da quelle che portano più incisiva la componente romana, sia dalle stesse 'storie' francescane, che da alcuni studiosi vengono in gran parte attribuite a Giotto, da altri invece sono a lui negate. E queste ultime, invero, risultano segnate da asprezze tali, da così inconsuete cadenze lessicali (anche rispetto al lessico delle 'storie' di Isacco, apparentemente affine, ma che nelle 'storie' francescane diviene semmai un precedente al quale si è appena guardato), e inoltre da tali ambizioni di linguaggio e di costrutto, da far supporre una mente geniale senza dubbio, ma che non riesce ancora ad attingere pienamente l'organicità della forma. Le 'storie' di Isacco, al contrario, si configurano, rispetto alle 'storie' francescane, opera di un artista precedente sì, ma già maturo e pago della propria maniera espressiva, che dispone inoltre, nel contesto della sua poetica, di una piena padronanza di mezzi accostumandosi a una cultura aulica. Egli ripropone un modo antico di classicità, così nell'uso del colore come nella modellazione delle immagini, mentre il suo modo di adeguare le masse scultoree cui si ispira (Isacco disteso, nel n. 80, emerge infatti come un blocco di scultura) alla superficie pittorica, è di evidente stampo neoellenistico. L'artista si distingue soprattutto per una maniera grandiosa di riproporre la classicità quale si tramandava attraverso gli esempi delle statue e dei sarcofagi, da lui resa per di più in chiave pittorica attuale, e cioè in adesione al profilarsi di un più attuale umanesimo. Volere scorgere nei due affreschi un esempio del primo apparire dell'arte di Giotto, è quantomeno arrischiato ed equivarrebbe inoltre a dare per scontato l'inesplicabile forte divario esistente tra essi e le sicure opere del grande pittore toscano, quasi che tale divario fosse elemento di trascurabile rilevanza; ciò che invece non è.

Anche rispetto al ciclo francescano, con il quale vengono pure poste in relazione, le 'storie' di Isacco segnano un divario non indifferente: e non soltanto per lo stile che è altro, ma anche e soprattutto per la cultura figurativa che è diversa; nelle due 'storie' bibliche, esperienze classiche ovvero cose miniate nel Medioevo sempre sulla scia della tradizione antica, sono ripensate e trasposte in modulazioni finissime di disegno e in masse compositive plasticamente calibrate. Tutto ciò non si avverte più nel ciclo francescano, che presenta, nelle strutture delle masse e nel rapporto tra figura e figura, una tale carica rigeneratrice, anche se formalmente acerba, da condurre la narrazione pittorica a un risultato meno affinato ma vistoso, soprattutto 'tattile', con effetti addirittura tridimensionali. Nelle 'storie' di Isacco, invece, l'impaginazione, accuratissima, accenna appena alla profondità, sì che quando l'artista vuol rendere più verosimile il movimento laterale della mano del vecchio Isacco (nell'atto di respingere Esaù), egli deve proiettarla 'fuori' dal riquadro. Così come è profonda dunque la diversità tra le 'storie' di Isacco e quelle francescane, lo è pure, e in misura ancor più sostanziale, tra queste ultime e le pitture giottesche nella cappella degli Scrovegni a Padova. Mentre a Padova, ad esempio, l'architettura viene concepita in funzione dell'episodio e quindi a questo si amalgama, adeguandosi perfettamente sul piano della forma, cioè senza che sussistano discrepanze, ad Assisi l'architettura rimane fine a se stessa e, pur nell'abile struttura compositiva, meglio sembra adeguarsi a un mero realismo empirico. Non è perciò senza significato che, nel raffrontare le cose sicure di Giotto con quelle di Assisi a lui attribuite, viene di solito avanzata l'ipotesi — là dove

82 [Tav. XLVII-XLVIII]

83 [Tav. IL-LI]

84 [Tav. LVI]

85 [Tav. LV]

86 [Tav. LII-LIV]

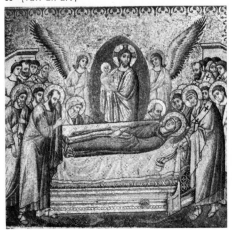
87

88

89 [Tav. LVII-LXIV]

89¹

parrebbe esserci dimestichezza tra le seconde e le prime — di un intervento di aiuti in queste ultime, cioè di un intervento estraneo proprio in quella parte del complesso giottesco che richiama Assisi. Ne sono esempio chiarificatore la *Rinuncia dei beni* della cappella Bardi in Santa Croce a Firenze e la scena analoga affrescata ad Assisi: per il gruppo a sinistra della cappella Bardi, che presenta precise somiglianze con quello analogo della scena assisiate (di solito riferita a Giotto), viene ipotizzato appunto l'intervento di aiuti.

In conclusione, tra le 'storie' di Isacco, le 'storie' francescane di Assisi e le opere sicure di Giotto esistono differenze fondamentali. Alle 'storie' di Isacco, che si possono datare ad alcuni anni prima del 1290 — non è affatto necessario istituire un rapporto di interdipendenza tra i due affreschi e i mosaici del Cavallini in Santa Maria in Trastevere (n. 82-88): l'influenza tra i due autori infatti si instaura più su di un piano generalmente culturale, che per particolari imitazioni sul piano compositivo — alle due 'storie', si diceva, Giotto poté ispirarsi, recependone le alte qualità di monumentale plasticismo insieme al messaggio umanistico. Nei due affreschi parrebbe quindi concludersi il processo che da Ci-

mabue conduce gradualmente alla fase ultima del momento figurativo pregiottesco.

Per le particolari caratteristiche di cui si è parlato, le 'storie' di Isacco si confanno più propriamente a un pittore di formazione ellenistico-romana, per certi aspetti familiarizzato con la cultura romana da cui emerge il Cavallini, per altri versi portatore di quei modi umanistici propri del neoellenismo aulico. Infine, benché non poche ragioni ci possano indurre a proporre un diretto intervento del Cavallini — e infatti mentre una parte della critica ha assegnato le due 'storie' al Cavallini stesso, la quasi totalità degli studiosi, anche quando ha escluso l'intervento diretto di questo maestro, ne ha rilevato comunque la decisiva impronta —, va detto subito che alcune componenti, anche di natura tecnica, consigliano una prudente cautela nel riferimento al maestro romano. In proposito, il White (*Art and Architecture in Italy*, 1966) fa giustamente rilevare come la pennellata del Maestro di Isacco risulti più delicata rispetto a quella del Cavallini, che è più decisa e aspra; il Cavallini e l'autore delle 'storie' di Isacco hanno invece in comune, come rileva lo stesso studioso, il classicismo maestoso e le modellature scultoree.

80. ISACCO RESPINGE ESAÙ. Assisi, basilica di San Francesco (Chiesa Superiore)

af 300×300

Per ogni ragguaglio si veda al n. 79.

ANONIMO

81. CROCIFISSO. Roma, cappella di San Tommaso dei Cenci

tp/tv 255×160

Nel tabellone, ai lati del Crocifisso, la *Vergine* e l'*Evangelista*; nella cimasa, una figura in trono (molto danneggiata) tra un santo giovane (foto 81¹) e un santo vescovo (foto 81²). Già nella chiesa francescana di Santa Maria in Aracoeli; passò alla sede attuale nel Quattrocento. Completamente ridipinta dopo che la maggior parte del colore originale era stato raschiato, la Croce venne sottoposta a un accurato restauro dalla Soprintendenza alle Gallerie del Lazio sotto la direzione di Ilaria Toesca che la pubblicò nel 1966 ("BA"). Il colore originale è quasi del tutto scomparso e soltanto nelle figure della cimasa si conserva in parte. Già il Matthiae (*Pittura romana del Medioevo*, II, 1966), mentre l'opera era ancora in fase di restauro notava

che "essa non potrà non suscitare un vasto interesse". Successivamente la Toesca ne poneva in risalto la qualità e in particolar modo quei caratteri stilistici che si legano strettamente al momento figurativo pregiottesco. Prendendo in esame il santo situato nella cimasa a sinistra, la studiosa ne rileva le proprietà cromatiche collegandole alla pittura del Cavallini, e per quanto riguarda il disegno del volto, riscontra analogie con la figura di Giacobbe nelle 'storie' di Isacco in Assisi (n. 79); altre analogie la Toesca fa rilevare tra gli angeli che stanno sopra il trono e gli angeli cavalliniani in Santa Cecilia in Trastevere (n. 89), mentre nel santo vescovo a destra "di già lontana discendenza cimabuesca", affiora uno sguardo vivissimo, di sconcertante intensità individuale". La Toesca osserva inoltre che "il fondo è di oltremare: non un ricamo prezioso come nelle Croci di Giunta Pisano o da lui derivate, o anche in quelle appartenenti all'ambito riconosciuto di Giotto". È evidente il riferimento al discusso *Crocifisso* di Santa Maria Novella: l'osservazione di particolare interesse, si aggiunge alle ragioni che dovrebbero consigliare perlomeno molta prudenza prima di coinvolgere nuovamente il grande artista fiorentino in un'opera certo di qualità ma di complessa e composita cultura figurativa come è questa Croce di San Tommaso dei Cenci. Si eviterà così di allargare per l'ennesima volta il già troppo vasto catalogo delle supposte opere giovanili di Giotto, e ciò non potrà far altro che giovare all'autore degli affreschi padovani. La Toesca data l'opera agli ultimi dieci anni del Duecento, ponendola in àmbito specificamente romano e in relazione con "il grande testo di Assisi" dove pure, riteneva P. Toesca ("A" 1904), "ebbe le sue radici l'arte di Giotto". Il Venturoli ("SDA" 1969), pur rilevando le notevoli differenze con il *Crocifisso* di Santa Maria Novella, attribuisce l'opera a Giotto giovane (in un momento precedente la Croce di Fi-

renze). Il Boskovits ("PA" 1971) fa dipendere la Croce romana dall'anonimo autore del *Giudizio* di Santa Maria in Vescovio, e per quanto riguarda lo schema iconografico osserva che esso, prima ancora che in Giotto, trova un valido precedente in Nicola Pisano (pulpito del duomo di Pisa). Secondo il Boskovits, il *Crocifisso* è "vicino a Giotto, ma prodotto tipicamente romano".

Sull'ambientazione dell'opera entro la sfera della cultura assisiate non dovrebbero esistere dubbi. Analogie esistono certo con la Croce di Santa Maria Novella, ma fondamentali sono, nello stesso tempo, le differenze. Rispetto al *Crocifisso* di Roma, quello di Firenze diverge in modo basilare, e anzitutto per lo schema compositivo del corpo del Cristo nonostante le apparenti analogie. Nel Cristo di Firenze, il corpo è quasi del tutto staccato dalla croce e più tozzo nella parte centrale (per una insistenza realistica), mentre quello di Roma appare di più plastica eleganza e più eretto; le braccia, nel primo, si staccano decisamente in avanti e senza sofferenza come nei *Crocifissi* di Nicola, le mani sono ripiegate in avanti, e il panneggio del perizoma è più cimabuesco, mentre, nel secondo, è più cavalliniano; il volto inoltre è quasi del tutto ripiegato in avanti e senza sofferenza, quando nella Croce romana, al contrario, esso è inclinato sull'omero e porta visibilissimo il segno della passione. Il volto del Crocifisso di Roma (foto 81³) presenta punti in comune (almeno per la struttura compositiva se non per la poetica) con il volto del Cristo nella *Crocifissione* del transetto destro di Assisi (n. 40). Una lontana premessa, infine, all'originalità compositiva dell'opera in esame può cogliersi nel purtroppo guasto *Crocifisso* del Museo di Pisa, dovuto a Ranieri d'Ugolino, l'artista che da alcuni viene identificato con il Maestro di San Martino. Per quanto riguarda le altre figure, la Vergine e san Giovanni sono di chiara

derivazione cimabuesca, mentre il santo a destra nella cimasa trova agganci con lo stile precimabuesco assisiate, pure rappresentandone uno sviluppo, e inoltre con l'arte laziale della fine del secolo. Il santo a sinistra ricorda certamente le 'storie' di Isacco, ma per una più acuta caratterizzazione individuante esso rammenta anche sia la Maestà (n. 76) del Maestro di San Martino nel Museo di Pisa (il volto di sant'Anna nella 'storietta' laterale con la *Natività della Vergine*, il volto del giovane nel *Ritorno di Gioacchino*), sia alcuni brani di quella cultura figurativa che trovò espressione negli affreschi della Badia di Grottaferrata (ad esempio nel *Roveto ardente*). Va ricordata in proposito la relazione tra questi ultimi affreschi e l'arte orientale proposta dal Soulier (1924) e inoltre un recente studio del Matthiae (*Gli affreschi di Grottaferrata e un'ipotesi cavalliniana*, 1970) che pone questi dipinti in relazione al momento figurativo qui in esame, di cui il *Crocifisso* di San Tommaso dei Cenci è espressione particolarmente significativa. Per qualità compositiva e plastica, e per la varietà dei fattori stilistici che vi convergono, esso appare dunque uno dei documenti più interessanti della pittura italiana pregiottesca. Il ravvisarvi però la mano stessa di Giotto significherebbe svilire la genialità di costui a un compromesso, sia pure eccellente, con troppe tematiche figurative. Il *Crocifisso* presenta evidenti caratteristiche compendiarie che ostacolano un suo preciso riferimento a una singola eminente personalità artistica; e tuttavia esso risulta emblematico della crisi figurativa e dello sforzo di superarla che precedettero e contribuirono alla formazione di Giotto.

PIETRO CAVALLINI

Secondo un documento romano del 2 ottobre 1273 "Petrus dictus Cavallinus de Cerronibus" figura in un atto di compravendita in qualità di testimone; l'artista doveva essere allora in età che gli consentisse di adempiere a quella funzione. È quindi probabile che egli sia nato intorno al 1245, considerato che risulta ancora vivente verso il 1321, essendo documentata in quell'anno (in una bolla di Giovanni XXII), l'esecuzione del grande mosaico sulla facciata della basilica di San Paolo fuori le Mura a Roma. Si ignora la data della morte.

Le antiche fonti ricordano il maestro attivo verso il 1270 nella stessa basilica romana, dove egli operò in diversi periodi eseguendo affreschi e mosaici; purtroppo, la decorazione cavalliniana (ove si escluda il frammento di angelo qui riprodotto, n. 91) andò perduta nell'incendio che nel 1823 distrusse in gran parte la basilica. Nel 1291 il Cavallini eseguì nella chiesa di Santa Maria in Trastevere i mosaici con 'storie' della Vergine, che rappresentano per il loro splendore decorativo l'ultimo esempio della grande tradizione musiva in Italia, e segnano nello stesso tempo il passaggio dagli schemi bizantini a nuove forme di realismo.

Verso il 1293, il maestro dipinse il suo capolavoro, il Giudizio universale (n. 89) nella chiesa di Santa Cecilia in Trastevere. È soprattutto in quest'opera che il Cavallini rivela le sue qualità di innovatore offrendo in maniera palese un esempio di ricerca umanistica nell'arte; è nel Giudizio di Santa Cecilia che i due protagonisti-antagonisti della storia religiosa, la divinità e l'uomo, per la prima volta si affiancano in una sintesi che dal punto di vista storico-culturale è preludio alla grande rivoluzione umanistica e rinascimentale. Dopo l'esilio avignonese, Pietro Cavallini si recò a Napoli dove la sua presenza è attestata da documenti. In questa città, nella chiesa di Santa Maria Donnaregina, egli eseguì, con il concorso di aiuti, monumentali figure di Apostoli e profeti (n. 90) ancora conservate.

Mosaici di Santa Maria in Trastevere

Si tratta di sette raffigurazioni (n. 82-88) che decorano l'arco trionfale e la parete absidale della basilica romana. I mosaici sono completati da didascalie che, secondo il De Rossi (*Musaici cristiani*, 1872-96), sarebbero state dettate dallo stesso donatore. Spetta al De Rossi il merito di aver stabilito l'esatta data 1291, come anno di esecuzione dei mosaici, e di aver ricostruito la firma dell'artista. Dopo avere corretto in "MCCXCI" le cifre che il Barbet de Jouy (*Les Mosaiques chrétiennes de Rome*, 1857) poté ancora leggere sotto la *Natività* trascrivendole però erroneamente in "MCCLCI", il De Rossi, nel rilevare che nelle copie dei mosaici eseguiti ad acquerello nel 1640 da Antonio Eclissi e conservate nella Biblioteca Vaticana (Codice Barb. Lat. 4404), si leggono ancora le lettere "US [...] IT PETRUS", ricostruì l'iscrizione "[hoc op]US [fec]IT PETRUS". Recentemente, l'Hetherington ("JWC" 1970), non ha ritenuto accettabile la ricostruzione della data fatta dal De Rossi, e ha perciò proposto di posticipare (come il Gioseffi [*Giotto architetto*, 1963], che propone il 1296) l'esecuzione del ciclo al 1298 circa, cioè dopo gli affreschi di Santa Cecilia in Trastevere (n. 89). I mosaici cavalliniani di Santa Maria, già esaltati dal Ghiberti (*I commentari*, 1455) che giudicò le storie eseguite "molto egregiamente [...]". Ardirei dire in muro non aver veduto di quella materia lavorare assai meglio", rappresentano forse il più chiaro documento del passaggio dall'immobilismo bizantino all'affiorante umanesimo; ed è in essi inoltre che a nostro avviso e contrariamente a quanto sostiene il Muratov (*L'arte bizantina*, 1928), un influsso neoellenistico affiora più intensamente nel processo linguistico del maestro. Il loro carattere innovatore rasenta il punto di rottura, sia per la singolare concezione dello spazio che vi è espressa sia per l'aspetto classico-umanistico. Queste caratteristiche fondamentali trovano conferma nel confronto con altre opere musive coeve, ad esempio con i mosaici di tema analogo eseguiti dal Torriti in Santa Maria Maggiore a Roma. In conclusione, in Santa Maria in Trastevere prende già forma il latente umanesimo di ispirazione classica, così diverso dalla vivacità espressiva di certe tendenze locali sensibili ai più disparati influssi; un neoumanesimo che a distanza di pochi anni assumerà contorni più decisi con lo stesso Cavallini in Santa Cecilia, e con l'arte di Giotto.

82. NATIVITÀ DELLA VERGINE
mosaico

Nella composizione, due sono i motivi che maggiormente colpiscono, anche per il contrasto che ne scaturisce. Il primo, di fondo bizantino, è ravvisabile in alcuni elementi sostanzialmente statici e tradizionali: così il panneggio che avvolge e fa tozze, come in scorcio, le gambe di sant'Anna ovvero la servente che versa l'acqua. A questi motivi altri se ne affiancano di più rilevante importanza. E anzitutto il rapporto istituito tra le architetture e la scena di primo piano; un rapporto serrato che implica una visione nuova dello spazio che se non è quella prospettica, è tale tuttavia da intaccare il formalismo ieratico bizantino. Ove, infine, ci si soffermi a considerare alcuni volti, la novità di linguaggio risulta ancora più sostanziale; valga, come esempio, il volto della servente che regge un vaso, preludio a modi giotteschi.

83. ANNUNCIAZIONE
mosaico

Notevole per il vigore della formula compositiva che la pone fra le opere più ardite, prima del classicismo gotico di Giotto. L'architettura, rilanciata nello spazio del fondo oro non attutisce affatto — anzi sorge qui una composizione spaziale che spinge in secondo piano la massa aurea —, assume grande rilievo plastico. Sintesi di cosmatismo con accenni gotici (nella cuspide centrale) e di puro classicismo, il trono si articola entro una magia di colori, in una sequenza di terrazze e di nicchie e di prospettive ad angolo. L'angelo e l'Annunciata assumono un tono alto di relazione umana, pur nello sfavillio di un'atmosfera divinamente irreale. L'angelo, il cui volto appare per molti aspetti simile a quello dell'angelo di san Paolo (n. 91), è di un'imperiosa maestà: poggia su una striscia di campo frastagliata, nell'istante in cui si arresta; le grandi ali si aprono e una sembra essere distaccata, mentre la Vergine, al solito gesto di turbamento sostituisce, qui forse per la prima volta, un'espressione gioiosa.

84. NATIVITÀ DI CRISTO
mosaico

Viene generalmente considerata come la composizione più ligia allo schema bizantino, e tuttavia anche in essa lo spirito innovatore cavalliniano è precisa in cospicuo rilievo. Al di là di una figurazione apparentemente astratta e tradizionale — come la montagna-grotta concepita a guizzi frastagliati — si precisa un più umano umanesimo, che attualizza il ruolo delle figure, conferendo a queste plasticità ed espressività; un più chiaro esempio di questo evidente realismo è costituito dal volto della Vergine.

85. ADORAZIONE DEI MAGI
mosaico

Così come nella *Natività di Cristo* (n. 84), la raffigurazione aderisce a istanze più attuali; e mentre in analoghe opere bizantine o romano-bizantine, i personaggi risultano spesso stilizzati, con le cose, divenendo con queste un simbolo essi stessi, nell'*Adorazione* cavalliniana gli elementi extraumani svolgono, meglio, un ruolo differente e autonomo. Perciò qui preme soprattutto rilevare la diversa ispirazione poetica che distingue questa composizione da altre, analoghe, bizantine o romaniche in cui il nesso bidimensionale uomo-ambiente viene imposto dalla presenza di un generale simbolismo che salda ogni cosa subordinandola alla logica di una superiore necessità.

86. PRESENTAZIONE AL TEMPIO

mosaico

Composizione di somma eleganza, forse la più equilibrata sul piano formale, in cui i ruoli specifici assegnati alle architetture e ai personaggi vengono posti in risalto nella maniera più compiuta. I motivi architettonici scandiscono le distanze tra le figure con cadenza ritmica, mentre il formulario bizantino si ricompone in una più credibile strutturazione compositiva, proiettando in una nuova dimensione figure umane e architettoniche, e staccandosi, in conseguenza, dalla tradizionale poetica dalle forme fisse. Si viene qui configurando in particolar modo una diversa e nuova visione dello spazio; lo rivelano in sommo grado le architetture — dai piani geometricamente accostati, a simboleggiare il tempio e altri edifici — che però sono già 'ambienti', cioè strutture che fungono anche e soprattutto da luoghi accessibili e non più estraniati da un loro esclusivo ruolo di simbolo.

87. TRANSITO DELLA VERGINE

mosaico

Il Cavallini parrebbe qui, a un primo esame, trovare difficoltà a staccarsi dalle formule tradizionali: il mosaico è caratterizzato da una più aulica severità, decorativamente sontuoso e spettacolare per l'accostamento di colori abbaglianti, in un predominio d'oro, di bianco e d'azzurro. Ma nonostante questa apparente sofisticazione metafisica, la composizione risulta, a un più attento esame, di misurata castigatezza e spazialmente disserrata, ridotta com'è ai soli personaggi essenziali (e si pensi, al solito, a quella, analoga, affastellata e ancor più ricca del Torriti); il

Cavallini riduce il numero degli angeli a due soltanto, raggruppa gli apostoli in due soli blocchi laterali, conferisce singolare risalto alla Vergine e al Cristo, ma soprattutto a quest'ultimo, che sorge vivo e attento entro la mandorla purpurea, da affresco.

88. BERTOLDO STEFANESCHI IN ADORAZIONE DELLA VERGINE

mosaico

La raffigurazione votiva, che mostra il donatore orante con gli apostoli Pietro e Paolo, conclude il ciclo. E lo conclude in modo da confermare ancora una volta il momento tipicamente cavalliniano, dell'aggancio tra due formule che nel maestro romano coesistono senza ancora escludersi; momento che segna il punto fondamentale dell'arte medievale con l'affiorante arte umanistica. Nel mosaico votivo, una certa rigida norma bizantina, che sovrasta come atmosfera generale, cede infatti all'assunto di una forma classica — o qui in particolar modo neoellenistica —, severa e imponente, e non più temporalmente disimpegnata come in passato, ma che si risolve in accostamenti più commossi e serrati.

89. GIUDIZIO UNIVERSALE. Roma, basilica di Santa Cecilia in Trastevere

af 320×1400

Situato sulla parete d'ingresso della chiesa, si trova attualmente in condizioni assai precarie. In un recente studio (Sindona, "A" 1969) è pubblicata una relazione dell'Istituto Centrale del Restauro, compilata in quell'occasione, in cui tra l'altro si legge: "All'esterno il muro è interamente esposto ad ogni variazione atmosferica. Mostra segni di movimenti di assestamento avvenuti a più riprese attraverso i secoli. Detti movimenti interessano l'affresco con crepe e spostamenti nel senso dello spessore che

hanno causato sull'intonaco numerosi ingobbimenti rotondeggianti. L'aspetto attuale dell'affresco colpisce immediatamente per lo stato di abbandono e decadimento. Grosse lacune si sviluppano per lo più in senso orizzontale, riempite con una malta molto compatta e tinte con un tono grigio-nero. Il colore è inoltre offuscato da una stratificazione uniforme di polvere e grasso. [...] Dalle finestre alcune crepe, formate in tempi relativamente recenti poiché attraversano anche le stuccature eseguite dopo il terremoto del 1914, scendono verticalmente per tutta l'altezza del dipinto e provocano dissestamenti localizzati dell'intonaco. Ma il pericolo principale è determinato dal fatto che lungo le crepe si notano chiarissimi segni di umidità in atto" (E. Pagliani). Nonostante questa preoccupante relazione, fino ad oggi non si è fatto nulla al fine di evitare irreparabili danni al capolavoro del Cavallini. Il maestro romano eseguì il Giudizio intorno al 1293. La datazione venne proposta, e poi generalmente accettata, dall'Hermanin ("Le Gallerie Nazionali Italiane" 1902), in base al fatto che nel novembre 1293 Arnolfo portava a termine in Santa Cecilia il suo ciborio, e all'ipotesi che le nicchie gotiche dipinte sopra il soffitto della chiesa dal Cavallini potessero essere state disegnate dallo stesso Arnolfo, proprio mentre il pittore romano lavorava alla decorazione della basilica che egli "dipinse tutta di sua mano" (Ghiberti, I commentari, 1455). Nel 1527, essendo passato alle monache benedettine l'annesso monastero, venne costruito l'attuale coro "che è di sopra tutto chiuso" (Ugonio, Historia delle Stazioni, 1588), e che, addossato alla parete, ricoprì interamente l'opera cavalliniana. L'affresco occupante relazione, grossi pali inseriti lungo la fascia centrale del Giudizio, per sostenere un palco, ne avevano compromesso irreparabilmente la superficie pittorica. L'affresco rimase nascosto e ignorato dietro il coro delle monache

fino al 1900, allorché l'Hermanin, in occasione di una rimozione del coro stesso, ebbe la ventura di scoprirlo. Si procedette in quell'occasione a una ampia pulitura e a un restauro conservativo, eseguito dal Bortolucci, sotto la direzione dell'Hermanin. L'affresco è mutilo non soltanto nella parte inferiore, dove risulta mancante di tutta una parte delle figure, ma anche e soprattutto di tutta la terza fascia in alto, raffigurante l'Eterno (o il Cristo risorto) tra schiere di angeli. Nel 1917, il Wilpert (Die römischen Mosaiken und Malereien der kirchlichen Bauten vom IV bis XIII Jahrhundert, 1917) fece eseguire una ricostruzione (foto 89[1]) abbastanza attendibile dell'affresco e per la fascia superiore si basò sull'iconografia tradizionale, soprattutto su quella successiva al Cavallini, ma assai diversa, del Giudizio di Giotto e di quello di Santa Maria Donnaregina a Napoli (quest'ultimo fortemente influenzato dall'arte del maestro). Se i mosaici di Santa Maria in Trastevere (n. 82-88) propongono già cose nuove sul piano della concezione spaziale e su quello di una rappresentazione più realistica e umanistica delle immagini, il Giudizio universale è l'opera nella quale il messaggio cavalliniano si concreta nella forma più complessa e più completa, assumendo il ruolo di una svolta fondamentale nello stile pittorico del tardo Medioevo. È da esso che Giotto trarrà spunti di primaria importanza per il suo nuovo linguaggio pittorico.

Dal punto di vista propriamente compositivo, il Giudizio del Cavallini presenta alcune novità che meritano di essere sottolineate. Considerando come punti di riferimento i due precedenti Giudizi più significativi, quello del duomo di Torcello e quello della chiesa di Sant'Angelo in Formis, si può notare anzitutto che nell'affresco cavalliniano le fasce corrono su binari perfettamente orizzontali sui quali poggiano figure che invece di risultare ammassate, sono pausate da

precisi e ampi intervalli, che contribuiscono a creare un'atmosfera di serenità e a calibrare il discorso figurativo. Nella fascia principale, il Cristo si trova sullo stesso piano delle altre figure; non è posto in alto, non è quindi staccato dagli altri protagonisti. Egli partecipa attivamente, non più motore immobile, con espressione mobilissima, e con vivo penetrante sguardo. Le pupille, grandi e nettamente staccate dal bianco, sono di una straordinaria potenza magnetica; non fissano tuttavia cosa alcuna, esprimono invece l'essenza e la grandezza dell'atto soprannaturale con cui si rivolge agli uomini; non più estraniato pensiero pensante come nelle tradizionali figurazioni bizantine, il Cristo "si rivolge" appunto a tutta l'umanità. Egli è circondato da una corte di angeli, arcangeli, cherubini e serafini che fanno corona al suo trono. Gli angeli (di questi uno soltanto rimane) e gli arcangeli portano vesti candide, mentre i cherubini dalle tuniche bianco-perlacee sono fasciati, come gli arcangeli, da palli verdi ornati di gemme; i serafini dominano in alto coi volti emersi dagli strati d'ali, grandissime, fulgide di colore, marrone, turchino e rosso fuoco. Ai lati della Madonna e di san Giovanni Battista, il corteo degli apostoli, disegnati in atteggiamenti similari, ma diversi tutti per lievi differenze compositive e per impercettibili individuali moti espressivi. Le loro figure, e i volti in particolare, portano un'impronta umanissima venata anche di naturalismo, e tuttavia manifestano una più complessa realtà spirituale. Attratti dalla potenza e dai molteplici valori che informano la persona del Cristo, simboleggiano le infinite ragioni della sua essenza; i loro moti interiori risultano perciò appena accennati perché non si tratta di mere passioni umane, ma soprattutto di fenomenologia etica. Classica serenità, dunque, unita a un superiore richiamo etico-religioso. E classiche infatti sono le figure: volti più rotondi, lineamenti levigati dai riflessi di luce e, inoltre, espressività aderente all'umano, non più sofisticata dai modi bizantini, panneggio delle vesti ampio e sciolto, scavato e ombreggiato.

Il colore è molto simile a quello dei mosaici di Santa Maria: ma in Santa Cecilia, grazie anche a una tecnica più favorevole, esso diviene più pastoso, più libero di espandersi e di fondersi. Qui Pietro Cavallini si giova del colore da maestro sovrano, e se ne giova per determinare anche l'espressività delle figure, per rilevarne la monumentalità e la funzione medesima da esse assunta nell'unità della composizione. Alcune preludono già alle creazioni del primo Rinascimento; come il san Giacomo maggiore, che Giotto rammenterà certamente quando, alcuni anni dopo, concepirà il volto di Gesù nel Battesimo della cappella degli Scrovegni a Padova.

Lo Hermanin (1902) intuì per primo — e le sue intuizioni sono state anche in tempi recenti riprese da altri — alcune differenze qualitative tra le varie parti. Lo studioso ritenne che i tre angeli alla destra (per chi guarda) del Cristo risultano di

90 a

90 b[1]

90 b

89 (part.) [Tav. LXII]

mano diversa da quelli che stanno a sinistra, e li considererò precisamente "disegnati dal maestro, ma dipinti da un allievo". Rilevò inoltre fiacchezza nelle figure dei beati, mentre per quanto riguarda i reprobi intuì che essi pur "rappresentati in proporzioni molto minori che non i beati, s'accostano di più al fare del maestro" ed escluse anche dai brani riferibili alla scuola i quattro angeli con le tube. È nella fascia inferiore, infatti, che maggiormente emerge l'intervento di aiuti, pressoché impossibili da identificare (nonostante qualche proposta cautamente avanzata), ma che non si possono in ogni caso collocare al di fuori della cultura assisiate ed ellenistico-romana. Nella fascia inferiore del *Giudizio*, vanno riferiti al maestro anzitutto la generale ideazione compositiva, e in secondo luogo alcune singole parti; tra queste ultime, gli angeli con le tube, dove i panneggi soprattutto portano l'impronta del fare sciolto e scultoreo tipico del Cavallini e, inoltre, il gruppo dei dannati al quale meglio si addice la proposta di un influsso neoellenistico rispetto a quello classico-romano presente nella fascia superiore.

90. APOSTOLI E PROFETI. Napoli, chiesa di Santa Maria Donnaregina

af

La decorazione della navata della chiesa napoletana è costituita da dodici grandi scomparti lungo i lati dei due finestroni gotici situati sulla parete destra e su quella sinistra della navata; in ogni riquadro sono affrescate due figure, a grandezza naturale, di *Apostoli e profeti*, divise da un palmizio. Alcune sono in parte o completamente distrutte. L'attribuzione del ciclo pone non pochi problemi, anche se la quasi totalità della critica riconosce in esso un predominante apporto cavalliniano. La presenza del maestro a Napoli risulta d'altra parte attestata da due contratti del 1308 riferentisi a pagamen-

91

ti, senza che tuttavia in essi siano specificate le opere. Il Cavallini poté operare nella città partenopea dal 1308, anno dei citati documenti, al 1320 circa, anno in cui la costruzione della chiesa di Santa Maria Donnaregina veniva completata. Nel 1321 il maestro è di nuovo a Roma, attivo in San Paolo fuori le Mura. Si può supporre che il Cavallini sia ritornato a Roma dopo avere dato il via alla decorazione in questa chiesa napoletana, completata poi da seguaci, come dimostrano anche altri grup-

pi di affreschi eseguiti sulla navata e sulla parete d'ingresso.

La serie degli *Apostoli e profeti*, venne scoperta nel 1862, ma soltanto nel 1899 il Bertaux (*S. Maria Donnaregina e l'arte senese a Napoli nel sec. XIV*), pubblicò un approfondito studio attribuendoli alla scuola senese, e in un secondo tempo ("Napoli nobilissima" 1906), dopo la scoperta del *Giudizio* di Santa Cecilia (n. 89), a una scuola senese-romana. Al Cavallini, o a lui in parte, vennero assegnati: da A. Venturi ("A" 1907), dal Rolfs (*Geschichte der Malerei Neaples*, 1909), dallo Hermanin ("TB" 1912), dal Lothrop ("Memoirs of the American Academy in Rome" 1918), dal Toesca (1927), dal Berenson (1936), dal Coletti (1941), dal Morisani (*Pittura del Trecento in Napoli*, 1947), dal Lavagnino (*Pietro Cavallini*, 1953). Attribuiti alla scuola dal Busuioceanu ("Ephemeris Dacoromana" 1925) e dal Van Marle (1923); a seguaci dal Sirén ("BM" 1927); dubitativamente al Rusuti dal Bologna (*I pittori alla corte angioina di Napoli*, 1969). Il Lavagnino vi ravvisa una delle espressioni più significative dell'arte del Cavallini: "Esplodono con accenti tavolta violenti i gridi delle passioni, è come ridar da un tumulto di voci levarsi e imporsi solenni, cadenzati accordi di canto fermo gregoriano". Si son voluti estrarre qui brani (*San Tommaso e il profeta Elia*, foto 90 a; *San Pietro*, foto 90 b) piuttosto differenti tra di loro, anche per attestare le difficoltà che insorgono nel momento di stabilire una esatta attribuzione. Si tratta comunque di parti tra le migliori e in cui l'intervento del Cavallini dovette essere più diretto. Si rileva, ad esempio, una correlazione chiarissima con un'opera indiscussa del maestro, il *Giudizio* di Santa Cecilia, ove si confrontino le mani che reggono un libro (foto 90 b¹) nel *San Pietro* di Napoli, con quelle che tengono un calice nel san Giovanni evangelista di Santa Cecilia (qui riprodotto, pag. 126). Il *San Tommaso*, invece, immagine di impostazione stilistica così raffinata da rasentare l'ascesi, non possiede la robustezza ch'è tipica delle figure cavalliniane; e pur essendo da riportare lungo il filo conduttore teso dal maestro, la sua esecuzione parrebbe da attribuire meglio a un frescante di cultura alquanto diversa, o senese o assisiate. Nel *Sant'Elia* infine, la tendenza cavalliniana a sommuovere la materia — e valgano, a dimostrazione, i panneggi identici a quelli dipinti in Santa Cecilia — risalta chiarissima, sicché questa figura di profeta a nessun altro si potrebbe assegnare se non al Cavallini stesso. Si è alquanto insistito su queste immagini, non soltanto per sottolineare similarità e differenze con lo stile del Cavallini, ma anche per offrire testimonianza della improbabilità, anzi della impossibilità assoluta, che in tutto ciò ch'è cavalliniano possa avere esistere, come pure alcuni sono portati a sostenere, alcun influsso da parte di Giotto. Non in Santa Cecilia, dove tra l'altro il famoso fiorentino, a metà dell'ultimo decennio del XIII secolo, avrebbe avuto poco di che proporre alla matura arte del maestro romano; non a Na-

poli, ove il Cavallini può essere operoso al massimo fino al 1320, mentre Giotto sarà a Napoli verso il 1327-28. Nessun influsso giottesco dunque sul Cavallini, ma soltanto da parte di quest'ultimo, con le sue opere romane, sul grande toscano.

91. ANGELO. Roma, basilica di San Paolo fuori le Mura

mosaico

Eccezionale frammento, pubblicato per la prima volta nel 1969 (Sindona, "A"), faceva parte del mosaico già esistente sulla facciata della basilica, citato dal Ghiberti e dal Vasari come opera del Cavallini. L'esecuzione è documentata da una bolla di Giovanni XXII, datata 31-1-1321 da Avignone. Dopo l'incendio che nel 1823 danneggiò in gran parte la basilica, il mosaico venne del tutto rifatto e collocato in parte sull'arco dell'abside, e in parte sull'arco di trionfo di Galla Placidia. Il frammento qui riprodotto, il solo superstite della decorazione originaria, si trova in questo secondo brano. Il Toesca (1927) aveva accennato a questo angelo che "lascia intravedere la fattura originaria, suggerendo che nell'ultimo suo periodo il pittore abbia risentito l'influenza di Giotto". Di un'influenza di Giotto sul Cavallini alcuni studiosi hanno anche parlato, sia a proposito del *Giudizio* di Santa Cecilia (n. 89), sia a proposito dei mosaici di Santa Maria in Trastevere (n. 82-88). Va ricordato in proposito che lo Zimmermann (1899), asserì addirittura che il ciclo musivo di Santa Maria venne eseguito dal Cavallini su cartoni di Giotto, mentre per lo stesso Toesca, il maggior pregio del Cavallini, in ambedue le decorazioni, è rappresentato soprattutto dal "senso del colore", dimenticando di riconoscere il ruolo fondamentale assunto dal maestro romano al momento del passaggio dalla pittura medievale a quella protorinascimentale, e a quella di Giotto in modo particolare. È chiaro quanto tutto ciò risulti fuorviante, anche sul piano della semplice cronologia. Per quanto riguarda in particolare l'opera in esame, il Cavallini, nel concepire il volto dell'angelo, non aveva alcun 'bisogno' di attingere a cose giottesche; oltretutto, era sufficiente che si riagganciasse, ove si voglia a tutti i costi creargli un punto di riferimento, al suo angelo nell'*Annunciazione* di Santa Maria in Trastevere (n. 83), diverso nell'atteggiamento da questo, identico invece nelle linee compositive. Si conferma qui, in modo quanto mai convincente, "la plastica visione e il razionalismo costruttivo" che distingue il linguaggio del Cavallini (qui in fase di matura conclusione) dal "lirico realismo d'ispirazione quasi letteraria che è così caratteristico in Giotto" (Busuioceanu, "Ephemeris Dacoromana" 1925). Non riuscirebbe infatti possibile di ritrovare nelle figure del pittore toscano il piglio superbo, di ispirazione classica, e il temperamento etico posseduti da quest'angelo. Giotto aveva guardato invece, e col più vivo interesse, alle immagini di Santa Cecilia, monumentali e maestose, ma anche più liricamente toccate.

Repertori

Indice dei titoli e dei temi

Indice del volume

Fonti fotografiche

Illustrazioni a colori: Archivio Rizzoli, Milano; Costa,
Milano; Marzari, Schio; Salmi, Milano; Scala, Antella
(Firenze); Vasari, Roma. Illustrazioni in bianco e nero:
Alinari, Firenze; Archivio Rizzoli, Milano; De Giovanni,
Assisi; Gabinetto del Restauro, Firenze; Gabinetto Fo-
tografico Nazionale, Roma; Istituto Centrale del Restau-
ro, Roma; Kunstmuseum, Düsseldorf.

Direttore responsabile: Gianfranco Malafarina

Registrazione presso il Tribunale di Milano,
n. 84 del 28.2.1966.
Spedizione in abbonamento postale
a tariffa ridotta editoriale:
autorizzazione n. 51804 del 30.7.1946
della Direzione PP.TT. di Milano

Editore stampatore: Rizzoli Editore s.p.a.
Milano, Via Civitavecchia 102 - Printed in Italy